VOTRE PERSONNALITE ET VOTRE DESTINEE PAR LES TESTS ASTRO-PSYCHOLOGIQUES

E. FACOURY

Genève • Paris • Montréal

TITRES PARUS

Amarande bleu

- Je réussis ma SARL
  Véronique Génin, Eric Chambaud

- Je réussis mon entretien d'embauche
  Jean-Pierre Thiollet,
  Marie-Françoise Guignard-Peyrucq

- C.V. Les lettres-clés de ma carrière
  Jean-Pierre Thiollet,
  Marie-Françoise Guignard-Peyrucq

- Réussir sa candidature
  Conseils pratiques à l'usage du chercheur d'emploi
  Christian Rudelle

Amarande violet

- Trésors et secrets de Montségur
  W.N. Birks, G.A. Gilbert

- Méthode pratique d'hypnotisme
  W.J. Ousby

- Initiation aux secrets de la magie
  Israël Regardie

- Le langage secret du sommeil
  Comprendre vos rêves
  Nerys Dee

- Les secrets de votre thème astral
  Sheila Geddes

- Les mystères de la vie après la mort
  D. Scott Rogo

- Communion avec la nature : La Magie Blanche
  Roderic Roux

- Le miracle cathare
  André Nataf

- S'initier à la numérologie
  Jean Duchesnay

- Votre personnalité et votre destinée
  par les tests astro-psychologiques
  Eddy Facoury

Amarande rouge

- Votre correspondance privée
  Daniel-Emmanuel Enoch

- Caractère et personnalité par la Graphologie
  Gérard Douatte

- Comprendre et réussir les tests psychologiques
  Christine Amaral-Giacomino

Ce livre est dédié à Edith Grandberger,
rédactrice en chef de
Quel Avenir Madame
et à tous ceux qui désirent être eux-mêmes.

IV/ Désirez-vous vraiment être en couple ?

Si vous êtes célibataire, éprouvez-vous le besoin sincère de vous engager ou bien préférez-vous la liberté ?

V/ A quel dieu plaisez-vous ? (Test pour les lectrices).

Quel dieu mythologique incarnerait votre homme idéal ?

TROISIEME PARTIE
VOS TALENTS ET VOTRE VIE
SOCIO-PROFESSIONNELLE

I/ Quel créatif êtes-vous ?

Chaque personne a un talent créatif. Comment l'optimiser ? Dans quel domaine s'exerce-t-il ? Quelle planète le symbolise ?

II/ Etes-vous battant ?

La vie moderne vous pousse parfois à faire preuve d'un esprit battant, dynamique. Assurez-vous dans ces cas ? Comment tirer le meilleur profit de vos compétences ?

III/ Quel communicatif êtes-vous ?

Communiquer est un art. Un dialogue avec soi-même et avec les autres. Comment communiquez-vous ? Dans quel but ?

IV/ Savez-vous vous créer des relations ?

La vie sociale ne peut être réussie sans relations, quelque soit le métier exercé. Possédez-vous l'art relationnel ? Savez-vous utiliser vos relations pour avancer professionnellement ?

V/ Etes-vous bon vendeur ?

Vous avez toujours quelque chose à vendre dans votre vie quotidienne ou professionnelle. Savez-vous séduire l'autre pour l'amener à adopter votre idée ou acheter votre produit ?

VI/ Etes-vous bon joueur ?

Etes-vous parmi ceux qui risquent gros dans un jeu (d'argent, de l'esprit, etc.), ou de ceux qui préfèrent la prudence et les valeurs sûres ?

PREFACE

PREFACE

Les tests psychologiques ont fleuri ces dernières années dans la presse. Le lecteur y a pris goût, cherchant un miroir à sa personnalité à travers le résultat du test. La plupart de ces tests sont fondés sur les enseignements de la psychologie moderne. Par ailleurs et dans le même souci de la recherche de soi, le public a montré un intérêt croissant pour l'astrologie. Mais sa perception de l'astrologie diffère de celle de la psychologie. En effet, l'astrologie est surtout perçue comme un art divinatoire. On consulte l'astrologue et on lit l'horoscope pour savoir ce que l'avenir nous réserve. Le destin serait ainsi indépendant de la volonté et du caractère. En revanche, ceux qui jouent à des tests psychologiques ou qui consultent le psychologue considèrent le résultat comme lié et conséquent à leur personnalité. Ainsi, face à un problème donné, comme par exemple un échec amoureux, celui qui passe par l'astrologie est tenté de dire « C'est la faute aux astres », celui qui passe par la psychologie dirait « C'est ma faute, je suis coupable car il y a tel aspect de ma personnalité qui ne va pas ». Cette division entre caractère et destin est dû principalement aux tenants de l'astrologie médiatisée qui donnent au public l'image d'un destin immuable, œuvre de planètes « méchantes » ou « gentilles ». De même, aux psychologues modernes qui restent fermés à l'astrologie. En réalité, l'astrologie, science millénaire, est une science humaine à part entière. Depuis les chaldéens, elle prouve que caractère et destin sont liés. Tel problème arrive comme conséquence d'un caractère ou d'un état d'esprit d'une personne. Evénement prévisible dans le thème astral de naissance mais non fatal car pouvant être modifié par la conscience et la volonté. Pour les anciens, astrologie et psychologie représentent donc la même science. Hormis la mort, le destin parachuté n'existe pas. Ce qui existe, c'est la destinée. Laquelle découle du caractère et de la volonté de chaque personne.

L'idée d'écrire un livre de tests astro-psychologiques est né de là. Permettre aux lecteurs, qui aiment en savoir plus sur eux-mêmes par le biais ludique des tests, de connaître aussi, et en même temps, les influences planétaires inhérentes à l'aspect de leur personnalité traité par le test. Ainsi que des conseils à la lumière du résultat obtenu. Le mot d'ordre étant d'apporter une réponse au joueur en le responsabilisant et en lui donnant des armes pour agir, en fonction de sa personnalité et de ses désirs et non en fonction de normes standards. Enfin, pour ceux qui s'intéressent à l'astrologie, c'est l'occasion de connaître un peu plus les planètes importantes pour chacun à travers des cas concrets de la vie privée et professionnelle. Ils découvriront aussi que la planète de leur signe solaire n'est pas la seule agissante. Exemple, un lecteur Bélier, habitué à ce qu'on lui parle souvent de Mars, pourra se rendre compte que pour tel ou tel autre domaine de sa vie, c'est une autre planète qui régit sa conduite. Et s'il est, par exemple, combatif au travail grâce à Mars, il est tendre et plutôt soumis dans la vie amoureuse, en raison d'une influence lunaire. Donc, quelque soit votre signe ou votre ascendant, que vous soyez homme ou femme, jeune ou âgé, vous pouvez jouer à tous ces tests.

Bonne lecture !

Eddy Facoury

PREMIERE PARTIE

VOTRE VIE
PERSONNELLE

I. ETES-VOUS YIN OU YANG ?

Le Yin symbolise la sensibilité féminine, l'imagination et le rêve. C'est la Lune en astrologie. Le Yang représente la combativité, la vie active et l'ambition. C'est l'influence astrale de Mars et du Soleil. Chaque personne bénéficie d'une prédominance Yin ou Yang. Et vous ?

Entrez dans ce test pour le déterminer. A chaque situation, choisissez une seule réaction parmi les quatre proposées.

I/ Vous êtes chef d'entreprise et vous recrutez pour un poste d'accueil. Deux candidats compétents se présentent:
a) vous les mettez en concurrence pendant 2-3 jours
b) vous choisissez le premier pour son cocktail beauté-sourire
c) vous optez pour le second, moins beau mais plus efficace
d) allons-y à pile ou face

II/ Vous rêvez d'être une star de la télé :
a) vous présentez des maquettes d'émission partout
b) vous vous créez des relations et une image dans ce milieu
c) vous cultivez votre talent et utilisez un talisman
d) vous hantez les cocktails fréquentés par les gens du métier

III/ Choisissez un verbe commençant par FO... :
a) fondre
b) foncer
c) fonder
d) forger

IV/ Vous êtes dans un bal. La personne qui vous fait craquer vous snobe. Que faire ?
a) vous attendez un moment propice pour l'approcher
b) vous vous affichez tenacement dans son rayon
c) vous vérifiez si vous avez un ami commun pour vous présenter
d) vous risquez un sourire (ou un incident) et vous « attaquez »

V/ Un(e) inconnu(e) vous sourit dans la rue. C'est :
a) une intention « pas nette » qui se trame
b) un prélude pour demander un renseignement
c) une invitation à une aventure sensuelle
d) un début éventuel d'une communication

VI/ Un ange vous apparaît en rêve, porteur d'un message :
a) « Ne cédez pas à vos ennemis »
b) « Goûtez aux plaisirs de la vie »
c) « Exploitez votre créativité cachée »
d) « Créez l'harmonie autour de vous »

VII/ L'ange disparaît. Vous sombrez dans un cauchemar :
a) vous êtes perdu(e) dans les steppes enneigées
b) vous êtes enfermé(e) dans un monastère en feu
c) vous êtes paumé(e) dans la galaxie
d) vous êtes réincarné(e) en chauve-souris

VIII/ Le Sphinx intervient pour vous sauver :
a) en énumérant vos vertus devant les dieux
b) en vous offrant une potion rédemptrice
c) en vous soumettant une énigme à résoudre
d) en vous proposant de semer le bien

IX/ Vous vous réveillez avec une devise face aux problèmes :
a) un problème, ça peut s'éviter
b) un problème, une solution
c) un problème génère un problème
d) s'il y a problème, c'est qu'il y a eu faute

X/ Et une clef pour le bonheur :
a) le dévouement
b) le courage
c) l'amour
d) l'intelligence

XI/ Donnez votre définition de la vie. C'est :
a) un point de départ et un point d'arrivée
b) des habitudes et des nouveautés
c) des désirs et des réalisations
d) des joies et des peines

XII/ Et pour la réussir, il faut être :
a) un aigle
b) une gazelle
c) un renard
d) un caméléon

XIII/ En revanche, on risque de la rater si on est :
a) un lapin
b) une tortue
c) une grenouille se prenant pour un bœuf
d) un poisson hors de l'eau

XIV/ La chance vient quand on croise sur notre route :
a) des admirateurs
b) des conseillers
c) des adversaires
d) des modèles

Résultats du test

Chacune de vos réponses est cotée 1 ou 2 ou 3 ou 4 points. Faites le total des points obtenus et lisez le paragraphe correspondant.

	a	b	c	d
I	4	2	3	1
II	4	3	1	2
III	1	4	3	2
IV	3	2	1	4
V	1	4	2	3
VI	4	2	3	1
VII	4	3	2	1
VIII	3	2	4	1
IX	2	3	4	1
X	1	4	2	3
XI	4	2	3	1
XII	4	1	3	2
XIII	3	4	1	2
XIV	2	1	4	3

De 14 à 24 points : Yin

Sous l'influence de la Lune et de Neptune, sensible et à l'imagination féconde, vous vivez tous les aspects de votre vie en profondeur. Vous vous donnez, vous vous engagez dans ce que vous faites, aussi bien en amour que dans votre vie sociale, détestant ce qui est superficiel ou inachevé. Votre nature vous conduit au meilleur comme au pire. Aux grandes joies comme aux graves désillusions. Mais comme vous ne pouvez pas tout réaliser, vous vous délectez parfois dans le passé et dans le rêve, cultivant une candeur et un jardin secret impénétrable, sauf par les personnes amies, élues par vous.

De 25 à 35 points : Yin à tendance Yang

Sous l'influence de la lune et de Vénus, votre nature de base est Yin. Sociable, plutôt artiste, vous cultivez un rapport sensible au monde et aux autres. Mais les aléas de la vie aidant, vous adoptez, à l'occasion, une attitude Yang. Vous avez en effet l'art de vous adapter aux diverses situations qui se présentent et vous mettre en valeur. L'obstination et le combat deviennent vos atouts quand il le faut. Mais vous ne lèverez pas le petit doigt pour les choses que vous jugez secondaires. En fait, vous cherchez sans cesse un équilibre entre le Yin et le Yang. Mais, épris(e) de paix et d'harmonie, vous préférez le compromis et le dialogue à l'affrontement direct, source de tensions.

De 36 à 46 points : Yang à relents Yin

Le Yang chez vous domine le Yin. Une influence du soleil, suivi de la lune. A l'esprit concret et actif, vous ne vous attardez pas sur les erreurs et les échecs du passé. Au contraire, vous regardez toujours droit devant vous pour bâtir votre vie sur des bases claires et solides. Toutefois, vous ne délaissez pas votre nature féminine Yin. Vous l'exprimez dans des moments priviligiés : dans les bras de l'être aimé, lors d'une création artistique ou en vous dévouant pour les amis qui souffrent. Votre mot d'ordre : trouver une solution de synthèse à tout problème. Votre sensibilité est riche mais cadrée par la logique et le réalisme.

De 47 à 56 points : Yang

Sous l'influence du soleil et de Mars, votre nature est essentiellement Yang. Avec un esprit battant et dynamique, vous vous fixez des buts et vous mettez tout en œuvre pour les réaliser. Pour vous, tout dans la vie doit avoir une finalité. Vous détestez l'excès de théories stériles. Votre mot d'ordre : l'action, laquelle doit être efficace. Vous tenez à votre liberté, vous aimez diriger et être le capitaine à bord. Mais à vouloir toujours courir, vous risquez un jour de plonger dans une profonde lassitude et de nier ou de malmener votre sensibilité profonde...et votre part de Yin.

II. QUELLE CULPABILITE EST LA VOTRE ?

Un sentiment de culpabilité, inconscient, diffus ou conscient, freine ou dénature nos conduites. Qu'est-ce qui nourrit le vôtre ? De quoi et comment vous sentez-vous coupable ? Jouez à ce test pour le déterminer. Quinze rêves vous sont proposés. A chaque rêve, choisissez une seule issue parmi les quatre possibles.

I/ Vous regardez dans l'eau d'un étang et y voyez le reflet :
a) d'un bébé en pleurs
b) d'un loup
c) d'un prince
d) de vous-même

II/ Vous vous promenez allègrement dans un bois. Soudain, votre route est barrée par :
a) des hommes armés
b) un chêne énorme
c) une falaise
d) un douanier agressif

III/ Le sphinx vous pose une énigme :
a) vous essayez de la résoudre
b) vous lui en posez une
c) vous rusez pour passer sans la résoudre
d) vous lui réclamez un cadeau qu'il devra donner si vous la résolvez

IV/ Dans une chambre à coucher inconnue et bien rangée, vous ouvrez l'armoire et y trouvez, hélas :
a) les vêtements sens dessus-dessous
b) une lettre de menace
c) une belle lingerie déchirée
d) des placards vides

V/ Vous êtes à l'Armée et c'est votre pire jour :
a) on vous a déchu de votre titre
b) vous êtes de corvée
c) vous avez perdu une bataille
d) on vous a supprimé les sorties

VI/ Vous êtes dans l'Olympe et vous avez bu d'une fontaine divine, interdite aux humains :
a) les dieux s'acharneront sur vous
b) les dieux se ligueront contre vous
c) les dieux ne le sauront pas
d) les dieux vous accuseront de vouloir les égaler

VII/ Dans vos mains, un parchemin sur lequel est tracée la route du trésor. Le dessin est :
a) un cercle
b) une pyramide
c) un labyrinthe
d) une ligne droite discontinue

VIII/ Vous décédez et vous vous réincarnez en :
a) cheval
b) serpent
c) aigle
d) chat

IX/ C'est votre anniversaire. On vous offre :
a) le diamant de vos rêves
b) un voyage à travers le monde
c) un banquet royal
d) un talisman magique

**X/ Désorienté(e) sur une route, vous sonnez à une porte.
Celui qui ouvre est :**
a) un curé qui vous rappelle le Tartuffe de Molière
b) un dentiste qui va vous arracher une dent
c) un menteur qui vous indiquera une fausse route
d) un ermite

**XI/ Vous êtes enfant à l'école et on vous demande d'écrire
un mot commençant par D. Vous choisissez :**
a) duel
b) duo
c) daim
d) dureté

XII/ Sur une terre lointaine, vous plantez :
a) un champ de blé
b) un poivrier
c) un laurier
d) un cerisier

XIII/ Vous êtes :
a) dans un ascenseur qui monte sans s'arrêter
b) dans le Far-West, pourchassé(e) par un cow-boy
c) à table, devant un repas interminable
d) bloqué(e) dans une voiture fermée et à l'arrêt

XIV/ Sur un banc public, vous écoutez un musicien jouer :
a) du tam-tam
b) du violon
c) de la flûte
d) de la guitare

XV/ Pilotant un avion, vous atterrissez :
a) dans la ville de votre enfance
b) dans un pays du futur
c) chez les dieux de l'Olympe
d) sur une planète hostile

Résultats du test

Chacune de vos réponses est cotée △ ou * ou + ou ○.
Faites le total des signes et lisez le texte correspondant
à la cotation majoritaire.

	a	b	c	d
I	*	+	○	△
II	+	*	○	△
III	○	+	△	*
IV	*	+	△	○
V	○	*	+	△
VI	*	+	△	○
VII	*	○	+	△
VIII	△	+	○	*
IX	*	△	○	+
X	*	+	○	△
XI	+	*	△	○
XII	*	+	○	△
XIII	*	+	△	○
XIV	+	○	*	△
XV	*	△	○	+

Majorité de * : Culpabilité narcissique

Votre sentiment de culpabilité est principalement nourri par une problématique narcissique. Vos désirs se heurtent à une éthique, une morale ou une norme à laquelle vous adhérez. En termes freudiens, il y a conflit entre le « ça » (les désirs) et le « surmoi » (votre morale personnelle qui vous inhibe). Il y a sans cesse une contradiction entre les valeurs familiales et sociales qui vous fixent des limites d'une part et une tendance à vouloir vivre des plaisirs personnels, d'autre part. Ce qui engendre parfois une crise narcissique. Vous alternez alors des périodes un peu trop sages avec d'autres, permissives. L'adolescent en vous, épris de liberté, cohabite difficilement avec votre part d'adulte soucieux de rigueur. Vous essayez de trouver des compromis, qui ne réussissent pas toujours.

La solution ? Peut-être en assumant mieux ces désirs que vous récusez et en leur trouvant des cadres de réalisation. Qu'il s'agisse d'une relation sexuelle « extra », de l'achat d'un objet cher qui vous tente ou d'un voyage dans les Tropiques, intégrez votre désir et réalisez-le sans vous traiter d'égoïste ou d'immoral(e). C'est en l'admettant que vous vivez mieux les autres aspects plus « moraux » de votre vie et que vous vous aimerez vraiment plus.

Note astro : conflit possible entre Saturne et Jupiter ou entre Saturne et les luminaires.

Majorité de + : Culpabilité due à l'agressivité

Votre sentiment de culpabilité est nourri surtout par des tendances agressives mal assumées. En termes psychana-litiques, une influence du stade oral ou anal persiste. Le bébé, frustré, veut mordre le sein maternel pour se venger. Plus tard, il retient ses selles, par défi. Ces séquelles se transforment, à l'âge adulte, en problèmes relationnels. Pour maîtriser une situation, il vous faut alors dominer l'autre et imposer vos points de vue et vos exigences. Que l'autre, par masochisme, joue le jeu ou, au contraire, l'emporte et vous domine, vous vous sentez en faute au fond de vous, sans toujours l'admettre, fierté oblige. La tension peut alors vous pousser à détruire sciemment une relation pour redémarrer sur des bases plus constructives. La solution ? Vous jouissez d'un trop-plein d'énergie. De nature créative, vous ressentez le besoin d'être constamment en action. Trouvez-vous donc des cadres variés et gratifiants pour agir : sports, activité artistique, intellectuelle ou ma-nuelle, voyages etc. Ainsi, vous assainissez progressivement vos relations aussi bien privées que professionnelles.

Note astro : conflit possible Mars-Saturne ou Mars avec les luminaires.

Majorité de ○ : Culpabilité due à « l'idéal du moi »

Votre sentiment de culpabilité résulte principalement d'un conflit entre votre « moi » et votre « idéal du moi ». De nature ambitieuse, éprise de réussite et de progrès individuels permanents, vous détestez les obstacles et l'échec. Vous donnez le maximum de vous-même pour atteindre les buts fixés, mais quand le résultat n'est pas au diapason, vous vivez cela amèrement et vous vous en voulez. En fait, vous placez la barre très haut, vous vous défiez d'une façon excessive et parfois irréaliste. Vous mettez un peu trop souvent en jeu votre image sociale et votre amour de vous-même. Vous manquez d'esprit de compromis. Vous vous refusez les chemins de traverse. La solution ? Vous accepter un peu plus tel(le) que vous êtes et non tel(le) que vous aimeriez être. Avancer et réussir dans la vie est une bonne chose. Mais pour la réaliser au mieux, il faut « aimer » ses échecs, adoucir l'auto-critique et savoir se complimenter lorsque l'action aboutit. Dominez donc votre nature éternellement insatisfaite !

Note astro : conflit possible entre le Soleil et une planète lourde.

Majorité de △ : Culpabilité sociale

Votre sentiment de culpabilité, lorsqu'il se manifeste, joue plus dans un registre social qu'individuel. Nourrissant un idéal familial, social, philosophique ou politique, vous vous sentez en faute lorsque vous avez conscience que votre action a desservi cet idéal ou ne l'a pas assez servi. Vous pourriez alors être amené(e) à remettre en cause votre conduite, après un examen de conscience. C'est dans la sphère de la conscience et non dans celle de la morale que se jouent les notions du bien et du mal pour vous. En revanche, le sentiment de culpabilité est moins fort dans vos relations individuelles. Vous assumez votre liberté pour réaliser vos désirs même s'ils peuvent heurter les autres. Jouir des divers plaisirs de la vie (culinaire, sexuel, gain d'argent.), est pour vous un droit. En fait, comme vous vous engagez peu ou rarement dans une relation, il y a peu de chances de vous sentir culpabilisé(e), par rapport à l'autre, s'il vous reproche une conduite. Sans oublier aussi que vous savez être avocat de vous-même et renvoyer à l'autre ses reproches.

Note astro : conflit possible touchant Jupiter.

III. AVEZ-VOUS L'ESPRIT POSITIF ?

Face aux problèmes, certains ont souvent une attitude négative. Ils subissent les difficultés en épousant le rôle de la victime. D'autres, au contraire, cultivent la pensée positive. Et vous ? Jouez à ce test magique pour le déterminer. Cochez une seule réponse par question.

I/ Vous croisez dans la rue une musicienne qui joue un air :
a) mélancolique
b) mélodique
c) incompréhensible
d) attrayant

II/ En fait, c'est une magicienne qui vous envoie en voyage chez les dieux. Vous atterrissez chez le dieu :
a) de l'amour
b) de la guerre
c) du vin
d) du destin

III/ La secrétaire du dieu. Elle vous reçoit, cachant son visage par :
a) méfiance
b) coquetterie
c) esprit taquin
d) élégance

IV/ Elle vous fait patienter avant de vous introduire chez le dieu :
a) vous enragez
b) vous restez calme
c) vous en profitez pour méditer
d) vous vous refaites une beauté

V/ Soudain, une fillette rôde autour de vous. Vous la trouvez :
a) triste
b) heureuse
c) mystérieuse
d) mignonne

VI/ Le dieu vous reçoit et vous demande ce que vous désirez. Vous répondez « Je cherche... »
a) à vaincre mes ennemis
b) la richesse
c) à être moi-même
d) le grand amour

VII/ Il vous répond que ce que vous cherchez, vous l'obtiendrez en rencontrant son valet. Celui-ci s'avère être :
a) hautain
b) racé
c) énigmatique
d) sensuel

VIII/ Le jeune homme vous prédit que votre vie sera :
a) une mer bleue et calme
b) une mer tantôt agitée, tantôt calme
c) un labyrinthe tortueux
d) des plaines enneigées

VIII/ Vous rétorquez que votre vie sera :
a) ce que vous en ferez
b) ce que les cieux veulent
c) une lutte permanente
d) une suite de hasards

X/ Vous le quittez car :
a) vous devez rentrez chez vous
b) vous avez peur de l'inconnu
c) vous n'avez pas confiance en lui
d) vous n'avez plus rien à lui dire

XI/ Avant de partir, vous lui promettez de :
a) le revoir
b) lui écrire
c) vous faire oublier
d) réfléchir à ce qu'il a dit

XII/ Chez vous, vous repensez à cette rencontre en vous disant qu'elle vous a :
a) amusé(e)
b) perturbé(e)
c) troublé(e)
d) agacé(e)

Résultats du test

Chacune de vos réponses est cotée 1 ou 2 ou 3 ou 4 points. Faites le total et lisez le texte correspondant.

	a	b	c	d
I	1	3	2	4
II	3	2	4	1
III	1	4	2	3
IV	2	3	1	4
V	1	4	2	3
VI	2	4	1	3
VII	2	3	1	4
VIII	4	3	2	1
IX	3	1	2	4
X	4	2	1	3
XI	4	3	1	2
XII	3	1	4	2

De 12 à 20 points : Esprit négatif

Influencé(e) par Saturne (Chronos en mythologie), vous êtes sévère envers vous-même et envers les autres. Vous détestez l'erreur, vous redoutez l'échec. En fait, votre amour-propre est vite blessé et vous intériorisez vos blessures, ce qui assombrit votre humeur et gâche vos rapports avec l'entourage. Pour éviter de dramatiser les difficultés à tout-va, parlez-en à vos amis. Ils vous aideront à relativiser les choses et à assouplir votre esprit.

De 21 à 29 points : Esprit critique

Influencé(e) par Mercure (Hermès en mythologie) et par Mars (Ariès), vous êtes souvent sur la défensive. Vous exagérez les problèmes, vous critiquez d'une manière excessive les erreurs...des autres. Vous voyez chez eux la « petite bête », le défaut avant de voir la qualité. Cet esprit exigeant rejaillit sur votre bien-être et peut vous empêcher de prendre la vie du bon côté. Apprenez à être plus tolérant(e), à regarder les autres d'une façon plus globale.

De 30 à 39 points : Esprit responsable

Influencé(e) par le Soleil (Apollon en mythologie), vous savez apprécier les qualités des autres (et les vôtres) et être en même temps sévère envers les erreurs et les échecs. Votre esprit est synthétique. Face aux problèmes, ni vous dramatisez, ni vous prenez à la légère. Vous donnez aux événements leur juste valeur. Vous faites preuve de combativité quand il le faut et de tolérance quand il n'y a pas d'ennuis majeurs.

De 40 à 48 points : Esprit positif

Influencé(e) par Vénus (Aphrodite) et par Jupiter (Zeus), votre esprit est positif et bienveillant. Vous admettez les autres tels qu'ils sont et réclamez d'être accepté(e) tel(le) que vous êtes. Face aux problèmes, vous êtes optimiste et vous comptez à la fois sur votre combativité et sur la chance. Toutefois, à toujours vouloir voir la vie du bon côté, vous risquez de connaître des désillusions. Si les gens ont des qualités, ils ont aussi des défauts qui peuvent vous nuire. De même, si le destin vous sourit, il peut parfois se révéler être un traître ami.

IV. VOTRE NATURE EST TRADITIONNELLE OU MODERNE ?

La tradition a-t-elle plus ou moins de valeur que ce qui est moderne et nouveau ? Entrez dans ce jeu magique pour le déterminer. Quatorze rêves vous sont proposés. A chaque rêve, vous choisissez une issue parmi quatre issues possibles.

Note astro : *Dans un thème astral, une influence d'Uranus pousse une personne à préférer la modernité, celle de Saturne à être rassurée par la tradition. Lequel de ces astres vous influence particulièrement ?*

I/ Vous êtes à New-York. vous courez car des voyous vous poursuivent. Vous vous engouffrez dand un gratte-ciel de 60 étages pour vous cacher :
a) dans la cave
b) au 60e étage
c) au 30e étage
d) dans l'escalier

II/ Vous marchez dans les steppes enneigées de la Sibérie. Là-haut, au sommet d'une montagne, vous rencontrez :
a) un savant
b) un moine
c) une porteuse d'eau
d) un pilote d'avion

III/ Vous faites partie de la cour d'un pays du passé en tant que :
a) astrologue du roi
b) stratège-conseiller du roi
c) prêtre attitré du roi
d) bouffon du roi

IV/ Vous êtes dans une cellule de prison, l'otage de dangereux ravisseurs. Vous vous voyez en train de :
a) faire exploser les barreaux
b) écrire vos mémoires
c) négocier avec vos ravisseurs
d) manger la pomme qu'ils vous ont donnée

V/ Vous êtes extra-terrestre invisible, parachuté(e) dans les locaux d'une grande société japonaise. Vous espionnez ces terrestres dans :
a) la salle des archives
b) la salle des ordinateurs
c) le bureau du directeur
d) les couloirs

VI/ Vous êtes dans un village de France, au cours de la Deuxième Guerre Mondiale. Chaque jour, devant la boulangerie du village, une foule fait la queue. Vous êtes en train de :
a) faire la queue
b) vous faufiler
c) manger du riz à la place du pain
d) concocter une recette qui permet d'obtenir du pain synthétique

VII/ Vous êtes écrivain. La télé, la radio et la presse parlent de vous. Toute la France a lu votre roman d'amour intitulé :
a) Le temps d'une passion
b) Le coup de foudre
c) L'instant d'un regard
d) L'amour, un vin millésimé

VIII/ Vous êtes à l'école et vous avez raté votre examen car vous n'avez pas assez travaillé. La rage au cœur, vous écrivez dans votre journal intime :
a) « Il aurait fallu travailler plus »
b) « Il faut travailler plus »
c) « Il faudra travailler plus »
d) « Je change d'école »

IX/ Vous êtes au lit. Vous souffrez car :
a) vous avez mal au dos
b) vous avez reçu un courant électrique en branchant l'aspirateur
c) vous avez mal aux dents
d) vous craquez nerveusement

X/ Vous êtes une star célèbre du cinéma. Demain, vous passerez à la télé. Vous préparez l'émission :
a) en compagnie de vos amis et conseillers
b) seul(e) pour mieux personnaliser votre discours
c) accompagné(e) juste par votre imprésario
d) accompagné(e) par votre conjoint

XI/ Avec l'être de vos rêves, vous êtes en train de :
a) dîner dans un restaurant exotique et nouveau
b) danser sous les néons d'une boite de nuit
c) vous promener le long d'un fleuve tranquille
d) échanger des petits caprices dans une ferme isolée

XII/ Vous vous prélassez sous le soleil d'une île tropicale. Votre voyage fut offert par une personne riche envers laquelle vous ne ressentez plus de sentiments. Vous rompez en :
a) en lui écrivant une longue lettre
b) en lui télexant votre décision
c) en laissant faire le temps
d) en chargeant un ami commun de l'informer

XIII/ Une fée vous donne une clef. Vous l'actionnez et vous vous retrouvez :
a) dans un avion qui décolle
b) dans une grotte aux interminables labyrinthes
c) dans une fusée galactique
d) sur un chameau dans le désert brûlant

XIV/ Un inconnu sonne à votre porte. Vous remarquez son regard :
a) perçant
b) triste
c) limpide
d) sévère

Résultats du test

Dans le tableau ci-dessous, chacune de vos réponses et cotée 1 ou 2 ou 3 ou 4 points. Faites le total des points obtenus et lisez le paragraphe correspondant.

	a	b	c	d
I	1	4	3	2
II	2	1	3	4
III	4	1	2	3
IV	4	1	3	2
V	1	4	2	3
VI	2	3	1	4
VII	1	3	4	2
VIII	1	2	3	4
IX	2	4	1	3
X	4	1	3	2
XI	4	3	1	2
XII	3	4	1	2
XIII	3	1	4	2
XIV	2	3	4	1

De 14 à 23 points : Oui à la tradition

Vous préférez la tradition à la modernité, ce qui est sûr et éprouvé par l'expérience à ce qui est nouveau et clinquant. En amour, vous cachez un romantisme brûlant sous une apparence froide et détachée. Vous cherchez la relation stable et durable. Les ruptures vous effraient. Au bureau, vous faites preuve de rigueur et de méthode. Vous pouvez travailler longtemps et avec acharnement pour atteindre le but fixé. Vos mots d'ordre : la stratégie et l'ambition. Mais cette rigueur ne facilite pas toujours votre contact avec l'entourage.

Astrologiquement, Saturne vous influence (il est peut-être en aspect avec un luminaire ou maître de l'ascendant ou élevé, etc).

De 24 à 34 points : La tradition avec ouverture sur la modernité

Vous croyez plus aux valeurs traditionnelles qu'aux modes nouvelles et changeantes. Au travail, vous aimez avoir un poste stable. En amour, vous cherchez la relation authentique. Mais comme Uranus vous influence aussi, vous passez par des phases uraniennes. Vous sortez parfois de votre réserve et vous vous révoltez franchement contre une situation négative. Vous coupez ainsi les mauvaises herbes pour repartir sur de nouvelles bases plus solides.

Astrologiquement, Saturne vous influence plus qu'Uranus. Vous pourriez opter par exemple pour une activité uranienne (haute-technique, art) en utilisant des valeurs saturniennes (rigueur, patience, discipline etc).

De 35 à 45 points : Ouverture sur la modernité sans renier les acquis traditionnels

Vous aimez ce qui est moderne, nouveau, original. En amour, vous tenez à votre liberté et au travail, vous vous passionnez pour ce qui est créatif et tourné vers le progrès. Toutefois, comme les valeurs ancestrales vous marquent aussi, vous savez analyser avec recul toutes les choses nouvelles et inattendues qui se présentent à vous. Vous rentrez alors dans votre coquille pour réfléchir sur ce qui ne va pas dans le présent, en tenant compte de vos expériences passées. Vous essayez de limiter l'engouement pour ce qui est nouveau et brillant pour vous inspirer de certaines valeurs traditionnelles (la prudence, la rigueur, le réalisme etc).

Astrologiquement, il y a dans le thème astral, une double influence de Saturne et d'Uranus.

De 46 à 56 points : Regard tourné vers l'avenir et la modernité

Vous tenez à votre indépendance et votre liberté comme à la prunelle de vos yeux. En amour, vous cherchez plus la relation complice que la passion exclusive. Les partenaires possessifs et jaloux vous mettent mal à l'aise. Vous rompez brutalement un lien conflictuel. Vous aimez être entouré(e) par beaucoup d'amis et votre sens de l'amitié est authentique. Au travail, vous êtes tourné(e) vers les domaines nouveaux et créatifs. Vous savez vous mettre en valeur et montrer vos qualités très personnelles. Vous détestez la routine et vous ne vous attardez pas sur les erreurs du passé. Vous vous habillez d'une manière originale qui vous personnalise. Vos mots d'ordre : l'instant présent, le futur, la vitesse.

Astrologiquement, influence d'Uranus dans le thème astral. Il est utile de choisir un métier qui respecte votre besoin de liberté.

DEUXIEME PARTIE

VOTRE VIE AMOUREUSE

I. VOTRE SEDUCTION EST FEU, AIR, TERRE OU EAU ?

Quelque soit votre signe ou votre ascendant, un élément naturel (eau, feu, terre ou air) vous influence. C'est lui qui vous offre cette « aura », ce magnétisme qui attire l'autre. C'est lui aussi qui moule votre caractère et cadre votre méthode de conquête. Trouvez-le grâce à ce test. Choisissez une seule réponse par question.

Note astro *: dans le thème individuel, il peut s'agir de l'élément du signe où se trouve Vénus ou le maître de la maison V.*

I/ Samedi soir, un bel oiseau atterrit sur votre balcon :
a) vite ! vous le glissez dans une cage
b) vous lui jetez des miettes de pain
c) vous l'admirez puis laissez partir
d) vous le regardez en rêvant d'être un oiseau

II/ La nuit, vous rêvez que vous commettez un assassinat :
a) dans l'Orient Express
b) dans une gondole à Venise
c) en haut d'une montagne
d) lors d'un périple en Amazonie

II/ Heureusement, le rêve suivant est plus agréable. Vous êtes, sur un bateau, à côté d'une belle personne inconnue qui semble sensible à votre charme :
a) vous lui lancez des regards appuyés
b) vous jouez l'indifférence
c) vous êtes si troublé(e) que vous ne la regardez pas
d) vous dosez la fréquence de vos regards

IV/ Vous êtes sensible :
a) à la beauté de ses yeux
b) à la sculpture de son corps
c) à son élégance originale
d) à sa sensualité magnétique

V/ Puis, vous vous éloignez :
a) par caprice
b) par mauvaise humeur
c) par calcul
d) par orgueil

VI/ Soudain, vous vous réveillez. C'est déjà le matin. On sonne à votre porte. C'est :
a) le facteur
b) la concierge
c) un inconnu
d) le laitier

VII/ Après son départ, et juste avant de fermer la porte, vous trouvez, dans la cage d'escalier :
a) un chaton abandonné
b) un billet de cent francs
c) une épée
d) un walkman

VIII/ Vous considérez que ce que vous avez trouvé est :
a) un porte-bonheur
b) un porte-malheur
c) un message occulte
d) un pur hasard

IX/ Vous vous glissez de nouveau dans vos draps. Une fée vous apparaît en rêve pour vous transformer :
a) en fourmi
b) en écrevisse
c) en cheval
d) en hirondelle

X/ L'image de la fée est floue. Mais vous parvenez à distinguer :
a) ses cheveux blonds
b) ses yeux bleus
c) ses mains fines
d) ses lèvres épaisses

XI/ Vous vous réveillez en sursaut. C'est le téléphone. Au bout du fil :
a) un inconnu qui s'est trompé de numéro
b) votre ami(e) intime
c) votre patron
d) personne

XII/ Après avoir raccroché, vous vous habillez et vous sortez :
a) faire du jogging
b) flâner
c) faire des courses au marché du dimanche
d) boire un verre chez des amis

XIII/ En rentrant chez vous, vous croisez :
a) des gamins qui jouent
b) le voisin de l'étage en dessous
c) un acteur célèbre
d) une personne qui vous ressemble comme deux gouttes d'eau

XIV/ Une fois chez vous :
a) vous vous prélassez dans vos coussins
b) vous rêvez d'être ailleurs
c) vous vous offrez un copieux repas
d) vous écrivez une lettre à un destinataire inconnu

Résultats du test

Chaque réponse est cotée 1 ou 2 ou 3 ou 4 points. Faites le total et lisez le paragraphe correspondant :

	a	b	c	d
I	2	4	1	3
II	3	4	2	1
III	1	3	4	2
IV	1	2	3	4
V	4	3	2	1
VI	3	2	1	4
VII	4	2	1	3
VIII	1	4	3	2
IX	2	4	1	3
X	1	4	3	2
XI	1	4	2	3
XII	1	3	2	4
XIII	4	2	1	3
XIV	4	3	2	1

Entre 14 et 23 points : Feu !

Votre élément est le feu. Vous vous lancez avec passion dans l'aventure sans savoir toujours où vous allez. Avec charme et sensualité, vous allumez les regards, vous vous enflammez sans redouter de vous consumer. Avec l'être élu, vous vivez à haute tension. Vous l'idéalisez car vous l'avez choisi entre mille. Vous lui projetez toutes les qualités que vous appréciez chez une personne, sans toujours vérifier qu'il les possède réellement !

Entre 24 et 34 points : Terre !

Votre élément est la terre. Vous appréciez ses plaisirs sensuels, vous savez en jouir, mais sans vous étourdir. Vous séduisez avec prudence pour mieux mettre le grappin. Vous donnez quand vous avez la certitude de recevoir. Vous profitez de ce que vous avez avant d'aller chercher ailleurs ce que vous n'avez pas. Tel un alchimiste doué, vous dosez la potion qui vous permet de séduire avec un succès certain !

Entre 35 et 45 points : Air !

Votre élément est l'air. Vous vous offrez à l'aventure sans trop la chercher. Vous badinez avec l'amour, différant sans cesse l'engagement qui limite votre liberté et votre indépendance. Vous changez vos masques selon les circonstances. Vous avez toujours un pied sur terre et l'autre sur un nuage. La réalité trop concrète vous ennuie. Vous vous évadez pour mieux vous retrouver. Les partenaires « à problème » vous dépriment.

Entre 46 et 56 points : Eau !

Votre élément est l'eau. Vous séduisez en affichant un visage d'ange. Enigmatique, vous gardez jalousement un jardin secret. Romantique, vous rêvez d'un amour tendre et exclusif. Si la réalité vous déçoit, vous trouvez dans vos rêves un monde de merveilles et de joies. Vous ne vous dévoilez qu'en compagnie des partenaires qui vous inspirent vraiment confiance. Ceux qui méritent votre affection. Vous vous engagez après de multiples hésitations à travers des chemins sinueux.

II. QUE CHERCHEZ-VOUS EN AMOUR ?

Que cherchez-vous à travers une relation amoureuse ? Que représente l'autre pour vous ? Jouez à ce test pour en savoir plus sur vous et sur votre Vénus, astre du désir. Cochez une seule réponse par question.

I/ Vous feriez bien une promenade avec lui(elle) au bord d'une voiture :
a) bleue
b) blanche
c) rouge
d) grise

II/ Pour votre anniversaire, il (elle) vous offre une toile originale d'un grand peintre :
a) vous la déposez dans un coffre bancaire
b) vous l'exposez au salon
c) vous la revendez
d) vous l'offrez à vos parents (ou enfants)

III/ Votre amour c'est :
a) une vibration-choc
b) une découverte de points communs
c) une confiance mutuelle
d) une admiration

IV/ Vous lui dédiez un slogan :
a) « Je te séduirai toujours »
b) « elle n'est pas née la personne qui te fera du mal »
c) « que ne ferais-je pour toi »
d) « t'es mon trésor »

V/ Si l'amour était un dessin, ce serait celui :
a) d'un château de la Loire
b) d'une île du Pacifique
c) d'un épisode des mille et une nuits
d) d'un jeu entre anges et démons

VI/ Pour son anniversaire, vous suggérez :
a) une soirée dansante
b) un dîner-chandelles
c) un week-end à Deauville
d) un week-end à la campagne

VII/ Vous lui écrivez un roman d'amour intitulé :
a) « 2 moitiés d'orange »
b) « et vogue le navire »
c) « éternellement »
d) « fini l'ennui »

VIII/ Votre ex, vous l'avez quitté(e) car il(elle) était :
a) avare
b) bête
c) coincé(e) la nuit
d) moche

IX/ Avec l'être élu, vous chantonnez « Vive la fidélité » :
a) 24H sur 24
b) la semaine mais liberté le week-end
c) un jour sur deux
d) le 30 février

X/ Vous lui écrivez la formule mathématique de l'amour :
a) $A + B$
b) $A = B$
c) B appartient à A
d) $B =$ super A

XI/ Une personne rivale rôde :
a) c'est la guerre
b) c'est la déprime
c) c'est le moment du dialogue
d) c'est un défi à gagner

XII/ Zut ! la rivale l'emporte :
a) vous demandez à Dieu de lui pardonner
b) vous hurlez « c'est ma faute »
c) vous méditez « c'est ma faute à 50% »
d) vous soupirez « c'est le destin »

XIII/ Cette personne rivale a un « plus » qui lui a permis de gagner. C'est :
a) son look
b) sa voix
c) son pouvoir intellectuel
d) son magnétisme sensuel

XIV/ Concluons par une devise : « L'amour...
a) s'exprime
b) se ressent
c) se vit
d) se partage »

Résultats du test

Chacune de vos réponses est côtée 1 ou 2 ou 3 ou 4 points.
Faites le total et lisez le paragraphe correspondant.

	a	b	c	d
I	2	1	4	3
II	2	3	4	1
III	1	3	2	4
IV	3	1	4	2
V	1	2	3	4
VI	3	1	2	4
VII	1	2	4	3
VIII	3	1	4	2
IX	2	1	3	4
X	3	4	1	2
XI	1	2	3	4
XII	4	1	3	2
XIII	3	2	1	4
XIV	1	2	4	3

De 14 à 23 points : Chaton fidèle (Vénus-Lune)

En amour, vous êtes un petit chaton. Très tendresse-nounours et câlins...Vous cherchez et réclamez le grand amour, le vrai de vrai. Tout doit y s'harmoniser : affection, désir sexuel, entente harmonieuse etc. Pour vous, un sentiment doit être authentique, entier, intense...ou rien. Face aux tensions, vous bouillonnez parfois sans pouvoir vous exprimer correctement. En fait, vous êtes un(e) introverti(e), influencé(e) par la Lune. Les ruptures amoureuses sont toujours un choc violent et inoubliable. La fidélité est votre devise. Vous ne trompez jamais l'être élu. Et si cela arrive exceptionnellement, vous sombrez dans l'angoisse et culpabilisez à fond !

De 24 à 34 points : Vive la passion (Vénus-Soleil)

Vous êtes une personne passionnée, influencée par le Soleil. Pour vous, l'amour est un souffle indispensable. Vous aimez choisir avec soin l'être aimé, le soigner, le cajoler, le piédestaliser, l'idéaliser. En fait, vous adorez mener le jeu, distribuer les rôles et les cartes. Générosité teintée d'égocentrisme, vous exigez beaucoup de l'autre : fidélité, passion intense, présence permanente etc. Il doit coller à l'image parfaite que vous avez de lui...Sinon, il dégringole de sa statue et peut partir sans regret de votre part. A ce moment, vous le trompez pour vous venger et sans aucune culpabilité. Sinon, en général, si vous cédez à une aventure, vous ne la lui avouez pas, par orgueil. Lui, dans tous les cas, doit rester fidèle...

De 35 à 45 points : On badine avec l'amour (Vénus-Mercure)

L'amour est important. La liberté...l'est autant ! vous cherchez avant tout la relation complice avec l'autre, fondée sur le respect de la liberté de chacun. Entre nous, vous protégez surtout la vôtre. Sous l'influence de Mercure, vous redoutez sans cesse qu'on vous agrippe et qu'on ne vous lâche plus. Vous menez la relation discrètement et subtilement. L'autre croit l'inverse. C'est tout votre art. D'autant plus que vous savez attiser sa jalousie quand il le faut. Bref, c'est l'éternel jeu du chat et de la souris. Et quand vous perdez, vous fuyez pour de bon...comme un lièvre ! Une personne rivale, vous la virez durement si elle intervient. Mais vous l'utilisez comme prétexte lorsqu'elle débarque au moment où vous ne désirez plus la relation. Vous la laissez croire qu'elle vous bat...

De 46 à 56 points : L'amour fonceur (Vénus-Mars)

L'amour est pour vous une conquête permanente. L'autre est une sorte de « proie » à séduire et à garder. Sous l'influence de Mars, vous mettez le paquet pour avoir l'être que vous avez choisi pour vous et rien que pour vous. Les personnes rivales n'ont qu'à bien se tenir ! Et vous allez au bout de votre passion amoureuse. Vous détestez ce qui est fade et superficiel. Il vous faut sans cesse de fortes émotions. C'est le sel de votre vie. D'ailleurs, vous adorez les conquêtes épineuses. La difficulté vous stimule. La réussite vous comble. L'échec vous donne de l'amertume. S'il vous arrive de tromper l'autre, ce sera par dépit ou vengeance ou, simplement car une occasion alléchante s'est présentée. Cela vous culpabilise mais vous ne dramatisez pas. Et si vous le lui avouez, ce sera franchement et directement !

III. SAVEZ-VOUS SEDUIRE LORS D'UNE SOIREE ?

Séduire lors d'une soirée publique (bal, boîte de nuit, etc.), requiert un dosage de chance, de savoir-faire et de désir. Etes-vous parmi les personnes qui assurent ou... qui tiennent la chandelle ? Laissez-vous piéger par ce test pour le vérifier. Choisissez une seule réponse par question.

I/ Une séduction, ça commence par :
a) un regard
b) un sourire
c) un trait d'esprit
d) une mise en contact par un tiers

II/ Et, de préférence :
a) sur la piste
b) au bar
c) au vestiaire
d) n'importe où

III/ Séduire lors d'une soirée, c'est :
a) tirer un gibier
b) pêcher un poisson
c) saisir une opportunité
d) enfoncer une porte fermée

IV/ Une belle personne vous attire mais elle est accompagnée :
a) vous faites une croix dessus
b) vous lui faxez un sourire discret
c) vous attendez un jour qu'elle soit seule
d) vous la branchez quand son ami(e) s'absente un moment

V/ Vous êtes en compagnie d'un ami(e). La personne qui vous plaît est seule :
a) vous allez lui parler tous les deux
b) vous y allez seul(e)
c) vous préparez le terrain par un cocktail « regard + sourire »
d) vous envoyez votre ami(e) tester le terrain

VI/ Séduire, c'est savoir :
a) agir
b) réagir
c) se faire désirer
d) réaliser un désir

VII/ Une personne à séduire, il faut :
a) la charmer
b) la sécuriser
c) la mettre à l'aise
d) l'allumer

VIII/ Important lors d'une soirée :
a) avoir le look de l'endroit
b) être bien dans sa peau
c) être alerte
d) laisser sa timidité au vestiaire

IX/ Plaire, c'est :
a) comme la vente, il faut parler le langage du client
b) comme le sport, il faut atteindre le but fixé
c) comme le combat, il faut écarter les concurrents
d) comme un jeu, il faut accepter de perdre

X/ Une devise :
a) Faire rire, c'est acquérir
b) l'avenir appartient à ceux qui se couchent tard
c) qui ne risque rien n'a rien
d) une nuit, ça vaut la peine d'être vécu

XI/ Que c'est triste de passer une soirée et...
a) de rentrer seul(e)
b) de ne pas s'amuser
c) de rentrer ivre
d) de se sentir en dehors de l'ambiance

XII/ La personne qui vous plaît vous rejette :
a) votre soirée est ratée, vous partez
b) vous sublimez en dansant à fond
c) vous en cherchez une autre
d) vous retentez votre chance ultérieurement

XIII/ Si vous n'avez pas trouvé ce qu'il faut dans une soirée publique, vous comptez sur :
a) une agence de rencontres
b) les petites annonces
c) les soirées entre amis
d) la rue

XIV/ Un mot pour définir les soirées nocturnes :
a) amusement
b) aventure
c) musique
d) rencontre

Résultats du test

Chacune de vos réponses est cotée 1 ou 2 ou 3 ou 4 points.
Faites le total et lisez le texte correspondant.

	a	b	c	d
I	2	4	3	1
II	3	2	1	4
III	1	2	4	3
IV	1	3	2	4
V	2	3	4	1
VI	1	4	3	2
VII	3	2	4	1
VIII	2	4	3	1
IX	3	2	1	4
X	4	1	3	2
XI	1	4	2	3
XII	1	2	3	4
XIII	2	1	3	4
XIV	4	2	3	1

Entre 14 et 24 points : Maladresse !

Faire une rencontre lors d'une soirée vous obsède à un tel point que vous séduisez mal et risquez souvent de rentrer bredouille. Vous n'êtes pas toujours dans l'ambiance de l'endroit même si vous jouez à la personne « cool, décontractée ». En fait, il vous faut apprendre à séduire par jeu et à adoucir votre émotivité et votre impatience. Laissez-vous aller et entrez dans la danse !
Note astro : Mars ne s'entend pas avec Vénus.

Entre et 25 et 35 points : Plus de maladresse que d'efficacité !

Vous arrivez parfois à attirer la personne qui vous séduit. Mais, entretemps, que de bourdes possibles au menu ! Vous en faites trop dans le style « séduction-à-tout-va » ou, à l'inverse, vous ne réagissez pas toujours d'une façon adéquate. Etre « en situation et sur la sellette » vous réussit à moitié. Peut-être, qu'au fond, la nuit (avec sa foule, son tabac et son bruit) vous fatigue. Variez vos terrains de rencontre !
Note astro : Influence de Lune-Vénus, préférant les soirées intimes.

Entre 36 et 46 ponts : Une séduction sans difficultés!

Nul doute, vous aimez l'ambiance des soirées : la foule, la musique, les têtes inconnues etc. Vous appréciez sa sensualité et vous savez vous y intéger. Vous avez l'esprit d'aventure. Vous êtes souvent « In » mais il vous manque un petit quelque chose pour être réussir toujours vos tentatives de séduction. Un brin de maladresse, de timidité ou de lenteur dans la réaction vous fait louper parfois de belles occasions. Persévérez !
Note astro : Bonne influence de Vénus et lune.

Entre 47 et 56 points : Comme un poisson dans l'eau !

Vous avez compris la règle du jeu de la séduction. Vous avez l'art et la manière pour être en forme, en règle avec vous-même et avec l'ambiance et pour profiter des plaisirs nocturnes. Vous êtes ludique et vous vous adaptez avec souplesse et rapidité aux occasions qui se présentent. Vous séduisez avec brio car vous n'êtes pas obsédé(e) par la rencontre. Vous savez vous mettre dans la peau de la personne choisie et parler son langage pour mieux la séduire !
Note astro : Bonne entente entre Mars et Vénus ou entre le Soleil et Vénus.

IV. DESIREZ-VOUS ETRE EN COUPLE ?
(Test pour les célibataires)

Vous faites peut-être partie des célibataires qui affirment vouloir être en couple et vivre une belle relation durable. Plus sérieusement, désirez-vous vraiment être en couple ? Ou bien tenez-vous surtout à votre liberté ? Laissez-vous piéger par ce test pour le déterminer. Cochez une seule réponse par question.

I/ Dring ! vous téléphonez à un ami d'enfance oublié :
a) car vous avez le cafard
b) car vous n'avez pas d'autres amis sous la main
c) pour avoir de ses nouvelles
d) pour lui annoncer que vous avez décroché un poste

II/ La joie, ça se savoure :
a) avec le temps, comme le vin
b) à l'instant
c) dans un bon souvenir
d) quand les problèmes sont résolus

III/ Ecrivez un roman et intitulez-le :
a) « L'imprévu »
b) « Voyage dans le futur »
c) « On badine avec l'amour »
d) « A l'attaque ! »

IV/ Un cauchemar :
a) des douaniers vous empêchent d'entrer dans votre pays
   préféré
b) toute une assemblée ironise sur vos défauts physiques
c) vous tombez d'un cheval au galop
d) vous êtes bloqué(e) dans un ascenseur le week-end

V/ C'est sympa :
a) d'aimer une chose et son contraire
b) de courir à reculons
c) d'être confondue avec une star
d) de gagner un pari fou

VI/ Une devise :
a) Tout dire, sauf l'essentiel
b) Quand ça pique, retirons l'épingle du jeu
c) Il faut qu'une porte soit ouverte ou à ouvrir
d) Qui aime bien, se châtie bien

VII/ Dites « non » :
a) Non, mais on verra
b) Niet !
c) D'accord, mais c'est non !
d) Franchement, non !

VIII/ Fredonnez :
a) avec Jacques Dutronc « J'y pense puis j'oublie »
b) avec France Gall « Je suis partout à la fois »
c) avec Johnny Hallyday « Que je t'aime »
d) avec Jacques Brel « Ne me quitte pas »

IX/ Mais quel est ce bruit bizarre et nocturne chez vos voisins ?
a) un assassinat peut-être, tendons l'oreille
b) des cochonneries intimes, laissons faire
c) c'est louche, appelons la Police
d) c'est joli, branchons le magnétophone

X/ A quoi sert l'autre ?
a) à vous câliner
b) à se faire câliner par vous
c) à vous épater
d) à être un miroir

XI/ Le monde ressemble :
a) à un jeu de Monopoly
b) à une farce
c) à un jeu de pistes
d) à ce que vous comptez en faire

XII/ La poubelle pue et vous nargue. Faut la descendre !
a) mais que font les robots ?
b) vivement demain pour la descendre
c) allez hop ! je la descends vite fait
d) un membre de ma famille (ou mon co-locataire) me fera le plaisir de la descendre

XIII/ Vous gagnez une brique dans un jeu télévisé. Ça servira à :
a) une belle banquette-lit
b) une voiture de ville d'occasion
c) un projet professionnel
d) une fête géante sur une péniche pour votre anniversaire

XIV/ Où étiez-vous hier ?
a) « Là où je serai demain »
b) « ça ne vous regarde pas »
c) « et vous ? »
d) « Je bossais »

Résultats du test

Chacune de vos réponses est cotée par ○ ou − ou + ou
*. Faites le total et lisez le paragraphe correspondant. Si
2 ou plusieurs symboles sont à majorité égale, cela prouve
que des tendances contradictoires coexistent en vous.

	a	b	c	d
I	○	−	+	*
II	+	−	○	*
III	−	+	○	*
IV	−	+	*	○
V	−	○	+	*
VI	−	○	+	*
VII	○	+	−	*
VIII	○	−	*	+
IX	−	+	*	○
X	○	*	−	+
XI	−	○	*	+
XII	−	○	*	+
XIII	+	−	*	○
XIV	○	−	+	*

Majorité de O : Vive la liberté !

Un verbe que vous aimez conjuger : « Prolonger ». Prolonger le train de vie actuel basé sur la séduction, source de confort et d'une moindre résistance. D'autant plus que la logique vient à votre rescousse. Il faut être « maso » pour cesser de profiter des plaisirs du non-engagement. En fait, une peur diffuse vous empêche de vous lancer à fond dans une relation durable : C'est la peur de la désillusion. L'autre ne serait pas tel que vous l'avez imaginé et désiré. La jeunesse prolongée sert alors de refuge. Un refuge contre le couple, imaginé comme une contrainte et perçu comme une source de conflits ! Au fond, un enfant sommeille en vous...

Note astro : influence de Vénus-Lune-Mercure, du Cancer et des Gémeaux.

Majorité de − : Aventure, quand tu me tiens !

Vous percevez la vie de couple comme une limitation à votre liberté. Non, vraiment, vous n'êtes pas pressé(e) de noyer votre individualité dans la masse...comme un sucre dans une tasse. Il y a tellement de choses à découvrir, de sensations à déguster. Vous êtes un « superficiel large » et vous détestez les « étroits profonds ». Exit les spécialistes du reproche et de la culpabilité. Ils ne vous auront pas. Et ne parviendront pas à vous pomper l'air et le mouvement. Votre besoin de séduire sans cesse est vital. Et vous êtes convaincu(e) que vous mûrirez par la richesse des expériences et non par la conformité à un modèle de couple. Votre arme ? vous créer des cases. Une case-travail, une case-amour, une case-loisirs, etc. De préférence, sans vases communicants. Son corollaire : mettre les autres dans des cases : la case-petit ami (ou maîtresse), la case-patron, la case-copain etc. En classant, vous croyez maîtriser la réalité extérieure. Attention à la rebellion des casés !

Note astro : influence de Mercure-Uranus et du Verseau ou des Gémeaux.

Majorité de * : Vous voulez vous caser...mais que de maladresses !

Dire Adios à la séduction et entrer de plein pied dans la vie de couple, oui et mille fois oui. Vous en voulez tellement que vous en faites trop. Ce qui engendre des maladresses...et des désillusions. Mais qui ne risque rien n'a rien, l'essentiel étant de s'y mettre. Gagner au plus vite l'indépendance si vous êtes jeune et s'engager dans une relation durable avec un un être élu. Ce beau programme vous stresse parfois mais vous n'abdiquez pas pour autant. La raison de ce besoin de vitesse ? la peur de retomber dans le cycle interminable des aventures sans lendemain, perçu, à tort ou à raison, comme ténèbres, faiblesse et impasse. Votre arme ? L'action : chercher sans s'arrêter la personne qui mérite votre amour jusqu'à la trouver Votre ennemi ? La pensée qui analyse et s'attarde sur les échecs en paralysant l'action. Face aux déceptions, vous gardez une marge de manœuvre. Celle de vous replier dans votre jardin secret ou de parler aux amis.

Note astro : influence de Mars-Vénus.

Majorité de + : Vive le couple !

(Un peu trop) confiant(e) en vous, vous avancez lentement mais sûrement dans la vie de couple. A vous voir si « rangé(e) », on vous donnerait dix ans de plus. Vous faites des plans tous azimuts car vous aimez organiser tous les secteurs de votre vie : Plans de carrière, d'amour stable, d'études éventuelles, d'épargnes bancaires et tout le tremblement. L'aventure d'un soir, ça vient après. Concret(e) et dynamique, vous affrontez la réalité sociale dans toute sa complexité...en la simplifiant. Ce qui vous permet de garder votre assurance. Et d'avancer sur la route tracée avec application. Vous accumulez alors les « possessions » : un(e) ami(e), un poste stable, des loisirs organisés etc. Et vous ne riez pas de vous voir si sérieux(se) dans ce miroir...Au fond, vous vous bourrez de certitudes « bourgeoises » et bien-pensantes pour éviter l'angoisse de l'inconnu. Vous êtes en représentation sociale permanente. Les autres servent alors d'écho gratifiant et sécurisant.

Note astro : influence de Jupiter-Soleil et des signes de terre.

V. A QUEL DIEU PLAISEZ-VOUS ?
(Test pour les lectrices)

Les dieux possèdent toutes les qualités que vous cherchez chez un homme. Lequel d'entre eux attirez-vous ? Lequel incarne l'idéal que vous souhaitez trouver chez votre Monsieur ? Jouez à ce test magique pour le déterminer. A chaque situation, choisissez une seule issue parmi les quatre issues proposées.

I/ La nuit, sous un ciel étoilé, vous survolez la planète Terre sur :
a) un aigle
b) un papillon
c) une grive
d) un paon

II/ Vous marquez une pause en atterrissant dans :
a) une forêt vierge
b) un champ de maïs
c) une cathédrale
d) une rue encombrée

III/ La fatigue vous envahit. Vous avez mal :
a) au ventre
b) au crâne
c) aux jambes
d) aux pieds

IV/ Pour chasser la fatigue, vous portez un pendentif sur lequel est gravé le dessin :
a) d'un renard
b) un lion
c) une gazelle
d) un lièvre

V/ Vous voilà de nouveau en forme. Vous sonnez à la porte du temple. Les prêtres vous ouvrent :
a) vous priez les dieux avec eux
b) vous jeûnez avec eux
c) vous les convertissez à votre religion
d) vous fuyez dare-dare

VI/ Soudain, la foudre s'abat. Les prêtres disparaissent et sont remplacés par :
a) des bébés tous mignons
b) des déesses majestueuses
c) des ondines voluptueuses
d) des guerriers courageux

VII/ Troublée, vous partez à la recherche :
a) d'un but
b) d'un objet perdu
c) d'un souvenir
d) d'un public

VIII/ Une fée vous apparaît et prétend vouloir vous aider :
a) vous vous méfiez d'elle
b) vous lui confiez vos soucis
c) vous lui demandez de vous décrocher la Lune
d) vous vous moquez d'elle

IX/ La fée vous laisse un pendule. Après son départ, le pendule se met à tourner. Vous en concluez qu'il y a :
a) un trésor caché sous vos pieds
b) un malheur va s'abattre sur vous
c) un mariage s'annonce en ville
d) un bal masqué sera donné ce soir

X/ Une voix mystérieuse vous chuchote que le pendule est un talisman. Vous formez alors un vœu :
a) sortir de votre corps
b) traverser le temps
c) vous dédoubler
d) vivre sur une autre galaxie

XI/ Mais c'est tout autre chose qui se réalise :
a) un prince charmant apparaît
b) une cassette de Louis d'or tombe à vos pieds
c) vous devenez aussi belle que Vénus
d) vous devenez une star célèbre mondialement

XII/ Et hop ! vous vous réveillez. Ce n'était qu'un rêve. Un rêve qui vous a :
a) envoûtée
b) fascinée
c) émerveillée
d) amusée

XIII/ Vite, avant de l'oublier :
a) vous le relatez à une amie
b) vous le notez sur papier
c) vous le gardez pour vous
d) vous vous recouchez pour rêver encore

XIV/ Et vous l'analysez comme :
a) un message de l'Au-delà
b) un rêve prémonitoire
c) un besoin d'affection
d) un mystère incompréhensible

Résultats du test

Dans le tableau ci-dessous, chacune de vos réponses est cotée 1 ou 2 ou 3 ou 4 points. Faites le total et lisez le paragraphe correspondant.

	a	b	c	d
I	1	2	3	4
II	1	3	4	2
III	1	3	2	4
IV	2	4	3	2
V	3	1	4	2
VI	4	3	2	1
VII	3	1	2	4
VIII	3	1	4	2
IX	3	1	4	2
X	3	1	2	4
XI	2	4	1	3
XII	3	4	1	2
XIII	2	3	4	1
XIV	4	3	1	2

Entre 14 et 24 points : Vous cherchez Ariès

Douce, fragile, sensible et sensuelle, votre Dieu est Ariès ou Mars. C'est le symbole de la force, de la virilité protectrice, du courage conquérant. En sa compagnie, vous vous sentez armée contre les difficultés de la vie concrète. Son côté fonceur vous dynamise, son esprit pratique vous aide à réaliser vos rêves. C'est le complément masculin « Yang » à votre nature féminine indolente. Avec lui, vous allez de l'avant, avec joie et confiance. Vous sortez de votre bulle pour profiter de la vie !

Entre 25 et 35 points : Vous cherchez Hermès

Curieuse, moderne, avide de contacts et de voyages, votre Dieu est Hermès ou Mercure. Vous appréciez son côté badin et coquin, son savoir intellectuel, son amour de l'aventure et de la nouveauté. Il épouse plusieurs masques, s'adapte à des situations différentes, utilise mille ruses et astuces. Il s'engage toujours à moitié et ne dévoile jamais entièrement ses vrais sentiments et pensées. Mais son humour, son agilité juvénile et sa philosophie positive de la vie compensent son instabilité.

Entre 36 et 46 points : Vous cherchez Apollon

Vous êtes sensible à la beauté physique, à la richesse, au talent artistique. Votre Dieu est Apollon ou Soleil. C'est le dieu de l'amour généreux, de la réussite socio-professionnelle, de la passion forte et sincère et de la création originale. Vous l'admirez et il vous protège. Mais il exige de vous d'être aussi brillante que lui et de faire preuve de fidélité. Possessif et jaloux, il sait pardonner au nom de l'amour. Il est magnanime et bienveillant. Avec lui, vous sentez que vous êtes l'heureuse élue du Dieu le plus courtisé par vos rivales.

Entre 47 et 56 points : Votre dieu est Zeus

Vous aimez la vie aisée et confortable avec un bon standing social. Votre Dieu est Zeus ou Jupiter. C'est le dieu des dieux. Il est mûr, fort, riche. Il est écouté et respecté. Il crée des lois et dirige la cité. Il protège les faibles et punit ceux qui commettent des délits. Avec lui, vous vous sentez sécurisée et enviée. Il sait jouir de la vie, il apprécie la bonne chère. Il part dans de longs voyages exotiques et vous en fait profiter. Comme vous, il adore éduquer les enfants. Grâce à lui, votre vie est sans cesse pimentée d'événements heureux.

TROISIEME PARTIE

VOS TALENTS
ET VOTRE VIE SOCIO-
PROFESSIONNELLE

I. QUEL CREATIF ETES-VOUS ?

Nous possédons tous un potentiel créatif que nous utilisons pleinement ou insuffisamment. Dans quels cadres et de quelle manière s'exprime-t-il ? Et comment l'optimiser ? Jouez à ce test pour le déterminer. Cochez une seule réponse par question.

I/ Qu'est-ce qu'un chien ?
a) un ami effectueux
b) un Milou réel
c) celui qui obéit dans une relation de domination
d) un compagnon utile (gardiennage et chasse)

II/ Dans une boîte de nuit, un(e) inconnu(e) solitaire vous plaît. Il(elle) ne vous remarque pas, malgré vos regards...
a) vous vérifiez si une personne de votre entourage le(la) connaît pour vous introduire
b) vous provoquez un incident. Exemple, en cassant un verre près d'elle (lui)
c) vous attendez un hypothétique moment propice
d) vous jouez le va-tout : « Bonsoir... »

III/ Votre devise dans la vie :
a) Il n'y a pas de problèmes, il n'y a que des solutions
b) s'il y a problème, c'est qu'il y a eu faute et il faut la corriger
c) un problème, ça peut s'éviter
d) un problème ? C'est stimulant !

IV/ Un ami ponctuel vous attend. En route, un de vos pneus crève :
a) vous le changez
b) vous cherchez un taxi
c) vous faites du stop
d) vous tâchez de trouver un téléphone pour avertir votre ami

V/ 13 h 55. Votre ami(e) vous annonce la fin de votre relation amoureuse...14 h. Vous reprenez le travail :
a) vous voilà très concentré(e) sur votre tâche
b) vous nagez dans la torpeur
c) vous cherchez les fautes que vous avez commises et qui ont causé la rupture
d) vous essayez de trouver la personne rivale qui a frappé dans l'ombre

VI/ Pour le succès d'un film, l'essentiel c'est :
a) le choix de vedettes « têtes d'affiche »
b) une bonne mise en scène
c) un scénario bien rôdé
d) une production efficace

VII/ Vous êtes vendeur de produits industriels. Votre client, un PDG d'une entreprise est un homme de chiffres exigeant et froid, bardé de secrétaires, amateur de timbres rares. Pour décrocher le contrat :
a) vous lui postez un dossier « en béton », chiffres à l'appui
b) vous gagnez la sympathie de sa secrétaire pour décrocher un entretien et lui présenter vos produits de vive voix
c) vous tâchez de le voir lors d'une mondanité (un dîner, un cocktail)
d) vous lui offrez des timbres rares

VIII/ Une devise :
a) l'heure la plus sombre est juste avant l'aube
b) le monde avance par les extrêmes et se stabilise par la moyenne
c) un cheveu sépare créativité et folie
d) l'invention, c'est 90 % de transpiration et 10 % d'inspiration

IX/ L'idée géniale surgit :
a) en travaillant
b) en rêvant
c) en structurant les données
d) en se promenant dans le bus

X/ La première pensée que vous avez en lisant le mot « Gauche » :
a) la main gauche
b) maladroit
c) la circulation en Angleterre
d) les partis de gauche

XI/ La meilleure façon pour perfectionner l'anglais :
a) séjour prolongé en Angleterre
b) cours + cassettes
c) chansons et films en VO
d) correspondance soutenue avec un ami anglais

XII/ Si on pouvait remonter le temps, vous auriez bien aimé naître :
a) Marcel Proust et écrire « La recherche »
b) Pierre Dac et écrire ses élucubrations
c) Einstein et découvrir la relativité
d) Christophe Colomb et découvrir l'Amérique

XIII/ Meilleure astuce pour trouver un bel appartement à bon prix en location :
a) passer une annonce « Personne solvable cherche... »
b) répondre à un maximum d'annonces
c) par relations
d) par l'administration (ou la famille)

XIV/ Complétez cette phrase « Tu veux boire un pot ?...
a) ... impôts fiscaux, impôts locaux »
b) ... t'as besoin de repos »
c) ... je te l'offre, t'as du pot »
d) ... décide-toi, ne tournes pas autour du pot »

XV/ Choisissez un titre pour une séquence filmée où on voit les sept nains escalader une montagne derrière Blanche-Neige :
a) les sept amis
b) Les nains bravent les obstacles
c) Mini-hommes, maxi-séducteurs
d) 7 UP

XVI/ Que c'est beau d'écrire ses pensées :
a) lors d'une nuit d'orage
b) sous le soleil, sur la plage
c) dans une phase conflictuelle de sa vie
d) entre deux rendez-vous professionnels

XVII/ Lequel de ces jeux préférez-vous ?
a) Pictionnary
b) Echecs
c) Trivial Pursuit
d) Poker

XVIII/ Associez un mot à « création » :
a) passion
b) objectif
c) goût du jeu
d) persévérance

XIX/ Formez des couples pour le bal masqué :
a) Chantal Goya et Alain Minc
b) Catherine Deneuve et Alain Delon
c) Muriel Robin et Pierre Joxe
d) Bernard Tapie et Edith Cresson

XX/ Un trombone, ça sert :
a) à jouer de la musique
b) à classer des dossiers
c) à classer les listes des conquêtes féminines d'un grand séducteur
d) à tromper la bonne

XXI/ En vacances, pour ne pas bronzer idiot :
a) un max de lectures
b) vive le sport
c) aller à la rencontre de gens nouveaux
d) s'adonner à une passion artistique

Résultats du test

Chacune de vos réponses est cotée * ou + ou ○ ou △.
Faites le total des symboles obtenus et lisez le texte
correspondant au symbole majoritaire. Si deux symboles
le sont, cela signifie que deux formes de créativité coexistent
en vous.

	a	b	c	d
I	*	+	○	△
II	+	○	*	△
III	*	○	+	△
IV	△	*	○	+
V	△	○	*	+
VI	+	○	*	△
VII	*	△	+	○
VIII	+	*	○	△
IX	△	+	*	○
X	△	○	+	*
XI	△	*	○	+
XII	○	+	*	△
XIII	*	△	+	○
XIV	○	*	+	△
XV	*	△	+	○
XVI	+	*	○	△
XVII	+	*	△	○
XVIII	○	△	+	*
XIX	+	*	○	△
XX	△	*	○	+
XXI	*	△	+	○

Majorité de * : Créativité logique

Réaliste, cartésien(ne), votre devise est la réflexion, le travail patient et méthodique. Vous collectez un maximum d'informations et d'éléments sur le sujet qui vous intéresse, vous comparez les réalisations des autres entre elles et , à partir de ce moment, votre créativité s'exprime. Se lancer corps et âme dans une entreprise non structurée n'est pas votre fort. Vous gardez les pieds sur terre. Pourquoi pas ? Après tout, Thomas Edison, l'inventeur du phono et du télégraphe, fut un travailleur organisé et logique. Il vous manque toutefois un grain de fantaisie. Parfois, l'idée créatrice jaillit à travers des chemins asymétriques et avec l'aide du hasard. Laissez votre cerveau droit (siège des émotions et de l'imagination) s'exprimer un peu plus ! Astrologiquement, influence de Mercure, de Saturne et des signes de terre.

Majorité de △ : Créativité par l'action

Votre crédo est l'action. Vous détestez l'ennui, vous redoutez le néant. Il vous faut être sans cesse en activité et aller de l'avant. Vous cultivez l'art de se fixer buts sur buts. Tant pis si vous n'atteignez pas l'objectif, l'essentiel pour vous est de vous y mettre. Vos idées et images créatives naissent pendant l'action. Elles prennent la formes d'astuces et de trouvailles. A l'arrivée, il y a toujours un résultat structuré. Mais il souffre souvent d'un aspect un peu bâclé, inachevé. Par votre Spontanéité et votre passion, vous manquez de précision et de patience. Vous voulez aller vite. Pour accomplir une grande œuvre, donnez du temps au temps, il ne vous trahira pas nécessairement ! Astrologiquement, influence de Mars, du Soleil et des signes de feu.

Majorité de + : Créativité perceptive et associative

Vous avez une bonne faculté de percevoir les formes et de les associer. S'adaptant facilement aux circonstances, aussi changeantes et inattendues soient-elles, vous êtes doué(e) d'un esprit curieux qui observe vite et globalement. Dans un contexte donné, vous comprenez ce qui se passe, ce qui y est et vous faites la synthèse. Vous savez optimiser vos atouts. Bon joueur, vous appréciez les jeux de mots et les paradoxes. Aller au but par des chemins de traverse vous amuse. Votre créativité naît de l'ensemble de ces éléments. Mais, à force de jouer avec les émotions et les situations, votre créativité ne peut se prévaloir de la profondeur du créatif introverti ni de la précision du travailleur patient. Par sa souplesse, votre esprit déjoue vos émotions. Il enrichit une œuvre intellectuelle ou ludique, il appauvrit une œuvre dramatique.

Astrologiquement, influence de Vénus associée à Mercure et des signes d'air.

Majorité de ○ : Créativité imaginative et émotive

Votre imagination est sans limites. Doué(e) d'une excellente mémoire, vous emmagasinez tout : émotions, idées, souvenirs, pensées, sentiments, etc. D'esprit plus intuitif et créatif que la moyenne, vous débordez d'objectifs. Fantaisiste, votre rêve serait de réaliser tous les désirs qui vous hantent. Mais entre un désir et sa réalisation, la réalité introduit une marge qu'il vous est parfois pénible de traverser. Votre émotivité et votre incapacité à supporter l'excès d'obstacles pourraient alors vous faire renoncer au but avec amertume. Pour passer de l'étape « artiste qui se cherche » à celle de « l'artiste accompli », contrôlez votre imagination, pour éviter qu'elle ne devienne « folle au logis » et sériez vos buts. Acceptez d'y aller par étapes. Inhibez volontairement un désir pour mieux réaliser un autre. Accomplir une création intéressante suppose souvent le détour face à l'obstacle. Et l'amitié avec le temps...
Astrologiquement, influence de la lune, de Neptune et des signes d'eau.

VII. ETES-VOUS UN BATTANT ?

Avez-vous le tempérament d'un gagnant ou baissez-vous les bras rapidement ? Répondez à ces 20 questions pour le déterminer. Choisissez une seule réponse par question même si plusieurs vous plaisent ou qu'aucune ne vous convient.

I/ Vous avez toutes les qualités pour un poste qui vous tient à cœur et on vous l'a refusé :
a) le recruteur est mauvais
b) le recruteur est salaud
c) vous avez subi une malchance
d) vous avez mal manœuvré

II/ Le décideur est injoignable :
a) vous l'intercéptez dans un cocktail auquel on ne vous a pas convié
b) vous séduisez sa secrétaire
c) vous lui envoyez plusieurs fois votre CV
d) vous fouinez pour obtenir son adresse et l'interceptez en bas de chez lui

III/ Le plus important, c'est :
a) la détermination
b) la patience
c) la diplomatie
d) le flair

IV/ Suite à un échec, vous réfléchissez :
a) « j'aurais dû faire ceci et non cela... »
b) « les causes de l'échec furent ceci... »
c) « si j'avais réussi, j'aurais gagné tant... »
d) « tant pis, c'est fait, désormais je... »

V/ Pour réaliser votre rêve , il faut d'abord pouvoir :
a) le penser
b) le planifier
c) le visualiser
d) le formuler

VI/ Un décideur, il faut savoir d'abord :
a) le séduire
b) le convaincre
c) se mettre à sa place
d) l'écouter

VII/ Une arme :
a) agir avec volonté
b) réagir par rapport à une circonstance
c) s'adapter à une situation
d) s'insinuer dans un contexte

VIII/ Votre compte bancaire accuse un grave débit :
a) vous demandez un crédit à la banque pour investir
b) vous empruntez aux amis
c) vous jouez au Loto
d) vous coupez sec dans vos dépenses

IX/ Pour décrocher un contrat, mieux vaut voir le décideur :
a) le matin
b) l'après-midi
c) le soir
d) à tout moment

X/ Il faut savoir d'abord :
a) parler
b) se taire
c) dire oui
d) dire non

XI/ La sagesse suprême :
a) la concentration
b) la volonté
c) le rire
d) le recul

XII/ Telle célébrité a réussi dans le métier de vos rêves :
a) vous l'admirez
b) vous trouvez qu'elle ne mérite pas son succès
c) vous cherchez à savoir comment elle a démarré
d) vous prenez acte de son succès

XIII/ Pour atteindre votre objectif final :
a) vous analysez vos échecs
b) vous notez vos échecs et vos réussites
c) vous jurez de ne plus commettre certaines erreurs
d) vous faites tout pour garder un esprit combatif

XIV/ Au départ, il y a :
a) une rage de vaincre
b) un rêve d'enfant ou d'adolescent
c) un besoin de sortir du troupeau
d) un défi avec soi-même

XV/ Pour réussir, il faut être un lion et...
a) un taureau
b) un cheval
c) un renard
d) un serpent

XVI/ A la source d'un échec, il y a :
a) une flemme
b) une peur
c) une injustice
d) un pessimisme

XVII/ Heureusement qu'il y a sur votre route :
a) des admirateurs
b) des conseillers
c) des adversaires
d) des modèles

XVIII/ La réussite attend :
a) les passionnés
b) les volontaristes
c) les pragmatiques
d) les joueurs

XIX/ Pour réussir, il faut une dose :
a) de réalisme
b) d'optimisme
c) de calcul
d) de mégalomanie

XX/ Il faut :
a) aider pour être aidé
b) n'aider personne
c) aider ceux qui peuvent vous aider
d) faire semblant d'aider

Résultats du test

Chaque réponse est cotée 1 ou 2 ou 3 ou 4 points. Faites le total et lisez le paragraphe correspondant.

	a	b	c	d
I	2	1	3	4
II	4	3	1	2
III	4	1	2	3
IV	1	2	3	4
V	3	1	4	2
VI	1	3	4	2
VII	3	4	1	2
VIII	4	3	2	1
IX	3	2	4	1
X	3	2	1	4
XI	2	1	4	3
XII	2	1	3	4
XIII	3	4	2	1
XIV	2	4	1	3
XV	2	1	4	3
XVI	2	4	1	3
XVII	3	2	4	1
XVIII	2	3	1	4
XIX	1	3	2	4
XX	1	2	3	4

Entre 20 et 34 points : Plutôt défaitiste !

Vous n'avez pas vraiment le profil d'un gagnant. Vous redoutez peut-être quelquepart la réussite. Vous affirmez la vouloir mais, au fond de vous, vous pensez qu'elle est plutôt faite pour les autres. Cela ne vous empêche pas de réussir, mais lentement, à petites doses et par étapes. Ayez plus de confiance en vous, ne vous attardez pas sur les échecs, ne jouez pas à la victime et tout marchera ! Astrologiquement, mauvaise influence de Saturne et de la lune.

Entre 35 et 50 points : Petit battant

Vous aimez et vous savez gagner. Mais vous manquez parfois de culot ou de volonté, vous hésitez, vous faites un pas en avant, un pas en arrière. Votre chemin est jalonnée de retards et d'arrivées à l'heure, d'échecs et de réussites. Apprenez à foncer plus agressivement, à croire en vos projets et vos objectifs seront atteints. Profitez du temps au lieu de le laisser parfois vous décourager. Astrologiquement, influence de Mercure et de certains signes « hésitants » : Cancer, Balance, Poissons, Gémeaux, etc.

Entre 51 et 65 points : Presque battant

Vous possédez plein d'atouts pour réussir et pour réaliser parfois des projets assez audacieux. Il vous manque toutefois quelques armes pour devenir un grand battant. Peut-être un savoir plus approfondi dans tel domaine, ou une meilleure appréciation dans tel autre. Sachez corriger le tir rapidement quand vous commettez une faute et cultivez à fond les qualités que vos possédez. Astrologiquement, bonne influence du soleil et de la lune.

Entre 66 et 80 points : Battant !

Vous êtes un vrai battant ! sûr de vous, déterminé, fonceur, vous allez droit au but, écartant sans merci les rivaux et les obstacles. Vous aimez réussir pour réussir mais aussi et surtout pour réaliser vos désirs profonds. Vous savez jouer, perdre pour mieux gagner, reculer pour mieux avancer. Stratège et rusé, vous abattez la bonne carte au bon moment. Derrière votre masque d'adulte qui a réussi, se cache un gosse qui s'amuse ! Astrologiquement, bonne influence de Jupiter, de Mars et du Soleil (notamment sur l'ascendant et le MC).

VIII. QUEL COMMUNICATIF ETES-VOUS ?

Nous communiquons tous par un moyen privilégié. Toute communication reflète votre personnalité et a sa valeur. Trouvez quel communicatif vous êtes avec vous-même et avec les autres en jouant à ce test. Cochez une seule réponse par question.

I/ Enfant, vous avez commis (ou rêvé de commettre) une « bêtise » :
a) verser du poivre dans le café de papa
b) briser le bibelot préféré de maman
c) faire des grimaces dans une photo de famille
d) salir le lavabo avec votre dentifrice

II/ Si l'amour était un dessin, ce serait celui :
a) d'un château de la Loire
b) d'un couple sur une île du Pacifique
c) d'un épisode des mille et une nuits
d) d'un démon courtisant un ange

III/ Un rêve. Vous êtes réincarné(e) en animal :
a) un crabe qui marche à reculons
b) un lapin qui court, court
c) une tortue en promenade
d) un coq qui se dandine

IV/ Votre patron affirme que la terre est plate :
a) vous lui prouvez le contraire
b) vous le complimentez pour son « humour »
c) vous convenez que c'est vrai sous un certain angle
d) vous le laissez affirmer ce qu'il veut

V/ Il(elle) vous fait craquer mais vous snobe. Que faire pour séduire cette exquise personne ?
a) sortir avec un(e) de ses ami(e)s
b) la bombarder de lettres et lui téléphoner souvent
c) vous looker selon son goût
d) attendre sagement qu'elle découvre vos insoupçonnables qualités

VI/ Lorsque « l'Autre » ne comprend pas ce que vous dites, c'est comme si vous étiez :
a) ligoté(e) par une corde
b) hurlant dans un désert
c) enfermé(e) au fond d'une cave
d) animant sur une radio sans auditeurs

VII/ Lorsque « l'Autre » comprend ce que vous dites, c'est comme si vous étiez :
a) Alice au pays de l'entente merveilleuse
b) une vedette de la chanson en phase avec son public
c) devant un autre vous-même
d) un porteur qui dépose enfin sa lourde valise

VIII/ Votre ami(e) dit vouloir vous quitter. Vous répondez :
a) « mais, pourquoi ? »
b) « mais, je t'aime ! »
c) « mais, tu ne m'aimes plus ? »
d) « mais, pourquoi commettre pareille erreur ? »

IX/ Dites à « l'Autre » ses quatre vérités en limitant la « casse » :
a) Un message sur son répondeur fera l'affaire
b) un ami commun sera chargé de la besogne
c) un mot bref et poli suffira
d) le silence est éloquent

X/ Avant de dévoiler un secret intime à un ami, vous dégustez volontiers :
a) un bon expresso serré
b) un chocolat chaud avec une tarte
c) un thé parfumé
d) un jus de fruit frais

XI/ Vous êtes prof de français. La dissertation qui mérite la pire note est celle qui est :
a) intéressante mais plutôt hors sujet
b) bourrée de fautes d'orthographe
c) pleine de fautes de style
d) au contenu creux

XII/ Après une nuit d'amour, l'autre s'en va en laissant une « part de lui » comme souvenir :
a) son parfum
b) la sensation de sa peau
c) ses mots tendres
d) le désir de le revoir

XIII/ L'ex-ami(e) de votre conjoint(e) lui envoie des fleurs :
a) vous les conservez dans un vase
b) vous les jetez avant son arrivée
c) vous offrez des fleurs à votre propre ex-ami(e)
d) vous demandez des explications à votre conjoint(e)

XIV/ Cette vedette communique bien, à sa manière, avec son public :
a) Madonna
b) Anne Sinclair
c) Vanessa Paradis
d) Jean Roucas

XV/ Composez pour l'autre une musique pour lui signifier votre amour :
a) une chanson pop
b) un concerto pour piano
c) une symphonie
d) un trio à cordes

XVI/ La communication non-verbale la plus « parlante » :
a) le regard
b) l'expression du visage
c) l'allure du corps
d) les mouvements des mains

XVII/ Une affinité intime s'établit spontanément entre vous et :
a) une belle photo
b) un texte poignant
c) un film émouvant
d) une chanson mélodieuse

XVIII/ Au pays des merveilles, vous vous évadez sur :
a) un pigeon voyageur
b) une colombe
c) un cheval
d) une panthère

XIX/ Vous n'arrivez pas à exprimer ce qui vous tient à cœur. Vous sentez alors :
a) un nœud à l'estomac
b) un mal de tête
c) une douleur dorsale
d) un « nervosisme » lancinant

XX/ Utilisez le titre d'une chanson comme titre de votre roman autobiographique :
a) « Souvenirs, souvenirs »
b) « Je t'aime moi non plus »
c) « Il voyage en solitaire »
d) « Allô maman bobo »

Résultats du test

Results du tir

Chacune de vos réponses est cotée △ ou * ou + ou ○.
Faites le total de chaque symbole et lisez le texte correspondant au symbole majoritaire. Si deux symboles le sont,
lisez les deux textes car deux tendances coexistent en vous.

	a	b	c	d
I	△	○	*	+
II	△	*	+	○
III	○	△	*	+
IV	△	+	*	○
V	*	△	+	○
VI	*	+	○	△
VII	+	△	○	*
VIII	*	+	○	△
IX	△	+	*	○
X	△	○	+	*
XI	*	△	+	○
XII	+	○	△	*
XIII	○	+	*	△
XIV	+	*	○	△
XV	△	○	*	+
XVI	○	*	+	△
XVII	+	△	○	*
XVIII	+	○	*	△
XIX	○	*	△	+
XX	○	△	*	+

Majorité de △ : Intello-polémiste

Pour vous, communiquer c'est avant tout « parler », « informer », exposer jusqu'au bout une argumentation. Les polémiques ne vous effraient pas. Au contraire, elles peuvent vous plaire. Votre devise ? « Convaincre, c'est vaincre ». Votre joie est que l'autre adopte votre point de vue, entre dans votre système de pensée. Mais dans la vie courante, les autres peuvent vous demander plus d'écoute pour éviter les malentendus. D'autant plus que la communication par le moyen privilégié de la parole peut être un moyen inconscient pour dénaturer ou contourner l'expression de vos sentiments et désirs profonds. Sans oublier que le dialogue à bâtons rompus peut être parfois source de dérapages qui desservent le but recherché. Et si vous communiquiez un peu plus avec vous-même ?

Astrologiquement, influence de Mars et de Mercure, de la Vierge, du Scorpion ou des Gémeaux.

Majorité de ○ : Communication sensible

Sensible, vous ressentez profondément les choses. Vous intériorisez aussi bien les émotions agréables que difficiles. D'où une réserve pour les communiquer verbalement. Vous préférez une communication artistique ou corporelle. Ce qui ne vous empêche pas d'exprimer d'une façon verbale précise une colère ou une douleur, mais après avoir longtemps hésité et mûri vos paroles. Toutefois, face à l'adversité, vous préférez utiliser des armes détournées (comme l'humour ou l'allusion) pour défendre vos droits et votre territoire. Vous tenez, en effet, à votre jardin secret, que vous ne dévoilez qu'aux amis sûrs. Vous cultivez le mystère, comme essence de votre personnalité. Ce qui peut vous desservir dans les situations où il faut réagir et communiquer vite et clairement. Mais l'essentiel est là : vous communiquez avec vous-même.

Astrologiquement, influence de la Lune et des signes d'eau.

Majorité de + : Esprit de relations publiques

Votre devise ? « Communiquer, c'est séduire ». Vous avez un sens inné de « l'autre ». Vous devinez ce qu'il souhaite voir et entendre et vous caressez dans le sens du poil. Utile pour nouer des liens de toutes sortes, aussi bien privés que professionnels. Vous vous adaptez aisément aux divers contextes et situations. Toutefois, à force de jouer le jeu de l'autre, vous risquez parfois d'oublier vos vrais désirs, de vous mentir de créer une « ambassade » de l'autre en vous. Et de voir certains abuser de votre largeur d'esprit. Dans ces moments, il serait bon de se rappeler que « communiquer », c'est aussi exprimer ses désirs et idées personnels. A vous de doser pour mieux profiter de votre talent relationnel. Offrez-vous par exemple des moments de méditation où vous jouez franc-jeu avec vous-même. Astrologiquement, influence de Vénus, des signes de la Balance et des Poissons.

Majorité de * : Communication de synthèse

Nul doute, vous êtes la personne qui sait le mieux communiquer. Vous réunissez en effet les divers ingrédients qui définissent ce mot. A savoir, être capable à la fois de s'exprimer, d'écouter, de séduire, de convaincre et de vous laisser séduire ou convaincre. Et surtout de « vous » écouter. Votre esprit sait créer une synthèse entre ces divers éléments. Vous savez aussi bien être vous-même (dans vos désirs, objectifs et émotions) que vous mettre à la place de l'autre (dans les siens). Vous êtes le contraire de l'impulsif. Votre communication est le plus souvent réfléchie, mûrie et dosée pour exprimer ce qu'il faut dire au bon moment, au bon interlocuteur. Vous dialoguez correctement avec autrui car vous savez le faire avec vous-même. Au fond, votre qualité est la tolérance. Par rapport à ce que vous êtes et par rapport à ce que sont les autres.

Astrologiquement, influence du Soleil, du Lion et du Sagittaire.

IX. SAVEZ-VOUS VOUS FAIRE DES AMIS ?

Gagner la sympathie autour de soi, se faire des relations, utiles professionnellement, créer des amitiés sincères, voilà des initiatives utiles mais qu'on ne réussit pas toujours. Non pas nécessairement par mauvaise volonté mais souvent par manque de savoir-faire. Jouez à ce test pour vérifier si vous savez vous faire des amis et des relations. Cochez une seule réponse par question.

Nota : *astrologiquement, les personnes sociables sont influencées par une Vénus bien aspectée ou en dignité dans leur thème astral ou par un « bon » Jupiter.*

I/ Vous voulez faire entrer un veau dans une étable et il s'y refuse :
a) vous le poussez
b) vous le tirez
c) vous attendez qu'il entre de lui-même
d) vous lui donnez votre pouce à sucer

II/ Vous n'avez pas de nouvelles de votre fils (ou frère), étudiant à l'étranger. Vous lui écrivez une lettre :
a) lui reprochant sa négligence
b) lui exprimant votre inquiétude
c) lui rappelant que vous pourriez lui envoyer de l'argent
d) vous lui envoyez de l'argent estimant qu'il en a besoin

III/ Vous êtes metteur en scène de théâtre. Le propriétaire du théâtre où se joue votre pièce a doublé ses prix de location in extrémis :
a) vous remuez ciel et terre pour changer de théâtre
b) vous lui rappelez qu'il y perd en avantages car votre célébrité attire du public
c) vous alertez les médias pour le dénoncer
d) vous lui faites remarquer que les autres producteurs pourraient le bouder

IV/ Vous êtes responsable commercial. Monsieur X, grand client potentiel, vous rejette sans cesse :
a) Vous prétendez que vous faites une enquête pour un journal sur sa société et souhaitez ses conseils
b) vous modifiez vos prix d'une façon séduisante
c) vous lui rappelez que la société concurrente à la sienne va devenir votre cliente
d) vous améliorez la qualité de vos produits

V/ Vous dirigez une société. Vous embauchez une hôtesse d'accueil :
a) qui a de l'expérience
b) qui est souriante
c) qui est belle
d) qui est dynamique

VI/ Monsieur Eric Durand est un voisin que vous connaissez peu. Chaque matin, vous lui dites en le croisant dans l'escalier :
a) Bonjour Monsieur Durand
b) Bonjour Monsieur
c) Bonjour
d) Monsieur

VII/ Vous prenez un thé avec une amie :
a) vous l'encouragez à parler de ce qui lui plaît
b) vous lui racontez des choses drôles
c) vous lui dévoilez un secret passionnant
d) vous lui faites des compliments sur son look

VIII/ Vous vendez des chemises. Un client revient exhibant une chemise trouée achetée chez vous et demandant son échange :
a) vous lui affirmez qu'elle a été endommagée après l'achat
b) vous lui la échangez
c) vous lui demandez de repasser, le temps d'enquêter
d) vous lui proposez d'en acheter une autre

IX/ Un agent veut vous infliger une amende car votre chien est sans laisse dans un jardin public :
a) vous le menacez en prétendant avoir des relations haut-placées
b) vous lui rappelez que ce n'est pas si grave
c) vous lui dites qu'à sa place vous auriez fait pareil et promettez de mettre la laisse au chien la prochaine fois
d) vous le priez de laisser tomber l'amende en jouant à la personne malheureuse et fauchée

X/ Monsieur Dupont, personnalité notable, soutient lors d'un dîner que 2 + 2 = 3 :
a) vous éclatez de rire
b) vous ne dites rien
c) vous lui prouvez que ça fait 4
d) vous lui dites que son avis est discutable

XI/ Votre collègue a commis une grave erreur :
a) vous la lui reprochez en public pour l'aider à s'améliorer
b) vous la lui reprochez en privé
c) vous ne dites rien
d) vous faites en sorte qu'il la remarque de lui-même

XII/ Votre ami est joueur de tennis et vous êtes musicien(ne). Pour son anniversaire, vous lui offrez :
a) un disque pourqu'il s'ouvre à votre passion
b) une raquette
c) une somme d'argent
d) un dîner au restaurant

XIII/ C'est Noël :
a) vous offrez du chocolat à votre patron
b) vous lui postez une carte de vœux
c) vous lui demandez une augmentation pour la nouvelle année
d) vous lui souhaitez « Bon Noël » simplement

XIV/ Vous êtes une(e) commercial. Faites plaisir à votre client japonais, de passage à Paris :
a) vous le présentez à une call-girl
b) vous l'invitez au restaurant
c) vous lui faites visiter les musées
d) vous lui faites un speech sur l'amitié franco-japonaise

Résultats du test

Résultats du trip

Chacune de vos réponses est cotée 1 ou 2 ou 3 ou 4 points.
Faites le total et lisez le paragraphe correspondant.

	a	b	c	d
I	2	1	3	4
II	1	2	4	3
III	2	4	1	3
IV	4	1	2	3
V	2	4	3	1
VI	4	3	1	2
VII	4	2	1	3
VIII	2	4	3	1
IX	1	2	4	3
X	1	4	2	3
XI	1	2	3	4
XII	1	4	3	2
XIII	4	3	1	2
XIV	4	3	2	1

De 14 à 24 points : Un peu d'effort...

Vous cherchez et appréciez l'amitié comme tout le monde mais vous manquez d'atouts pour l'obtenir. Vous froissez parfois les autres avec des remarques désobligeantes ou par des critiques ouvertes. Vous ne ménagez pas assez les sensibilités et les susceptibilités des uns et des autres. Votre esprit gagne à être moins égocentrique, plus tolérant et plus bienveillant. Il suffit de peu pour harmoniser l'ambiance et arrondir les angles, gagnant ainsi l'attrait des autres vers vous. (Astrologiquement, influence de Mars mal aspecté ou du signe de la Vierge.)

De 25 à 35 points : Des amitiés par-ci, des inimitiés par-là.

Quand vous souhaitez gagner vraiment l'amitié ou la sympathie d'une personne, vous y arrivez. Avec des erreurs de parcours, mais vous y arrivez quand-même. Cela dit, une petite dose de savoir-faire serait la bienvenue. Par exemple, en pensant plus au désir de l'autre qu'au vôtre, en flattant sans faire de la flatterie, en évitant les polémiques stériles, en écoutant plus et en parlant moins. Votre faiblesse : vous voulez toujours avoir raison et vous imposez vos désirs au lieu de les négocier. (Astrologiquement, influence de Mars ou de Saturne.)

De 36 à 46 points : Vous savez dénouer des amitiés

Vous savez gagner la sympathie et la bienveillance des autres. Vous êtes capable d'aller dans le sens de leurs désirs, vous évitez de froisser leur amour-propre, vous avez l'art de les convaincre avec votre idée sans les heurter. Certes, vous commettez parfois des bévues, perdant ainsi l'amitié d'une personne de votre entourage. Mais, dans l'ensemble, vous êtes sociable, avec une dose de ruse. (Astrologiquement, influence du soleil et de Mercure.)

De 47 à 56 points : Vous êtes l'as des amitiés !

Nul doute, l'esprit amical est inné en vous. Vous êtes capable d'écouter les autres, de leur montrer votre bienveillance et de cerner leurs désirs véritables. Vous possédez la baguette magique pour convaincre votre entourage d'une idée qui vous tient à cœur sans susciter son hostilité. Vous savez vous faire des relations sociales, fondées sur l'estime réciproque. Votre arme : ne pas polémiquer, ne pas critiquer, ne pas heurter, mais séduire. Votre atout principal : le sourire. Vous savez vous mettre à la place de l'autre, vous êtes « Public Relation ». (Astrologiquement, influence de Vénus bien aspectée ou en dignité.)

X. ETES-VOUS UN BON VENDEUR ?

Quelque soit notre métier, nous sommes tous amenés à vendre quelque chose chaque jour, à mettre en avant notre compétence, notre charme et la qualité de notre produit ou de notre idée. Etes-vous un bon vendeur ? Jouez à ce test pour le déterminer. Choisissez une seule réponse par question.

I/ Vous êtes un des directeurs d'une société et vous avez outrepassé le budget qu'on vous a confié pour acheter du matériel informatique. Lors de la réunion avec vos supérieurs, on semble vous le reprocher. Vous dites :
a) nous avons réalisé un gros investissement
b) nous avons dépensé pas mal mais ça rapporte
c) il faudra désormais limiter les dépenses

II/ Vous êtes sur le point de téléphoner à un client potentiel pour lui vanter les mérites d'un produit ou d'un projet :
a) vous souriez
b) vous raffermissez votre voix
c) vous respirez profondément

III/ Vous tombez en fait sur sa secrétaire qui refuse de vous le passer :
a) vous lui demandez de lui dire qu'il vous rappelle car vous avez de bonnes nouvelles pour lui
b) vous lui dites que vous rappellerez plus tard
c) vous essayez de l'intéresser à votre produit pour qu'elle en touche mot au directeur

IV/ Le directeur finit par vous prendre au téléphone :
a) vous lui expliquez d'une façon détaillée votre produit ou projet
b) vous lui expliquez les grandes lignes
c) vous mettez en avant les éléments du produit ou du projet qui, selon vous, pourraient l'intéresser en priorité

V/ Il vous accorde un rendez-vous. Lors de l'entretien l'idéal serait de lui expliquer votre produit ou projet :
a) oralement
b) sur vidéo
c) sur papier

VI/ Toujours lors de l'entretien, vous parlez :
a) en le regardant droit dans les yeux
b) en esquivant un peu ses regards pour ne pas le mettre mal à l'aise
c) en regardant surtout vos papiers pour mieux expliquer vos idées

VII/ Votre client est un personnage important et il vous impressionne :
a) vous vous donnez aussi l'air d'une personne importante
b) vous le lui avouez
c) vous vous mettez dans l'esprit l'idée que vous êtes en train de parler à une personne comme les autres

VIII/ Juste avant l'entretien :
a) vous vous êtes habillé(e) d'une façon élégante mais stricte
b) vous vous êtes habillé(e) d'une façon qui, selon vous, va avec l'esprit de l'entreprise concernée
c) vous vous êtes habillé(e) comme d'habitude, estimant que l'essentiel est de séduire votre client par votre conversation et vos arguments

IX/ Imaginons maintenant que vous êtes un démarcheur ambulant. Vous vous introduisez chez un client sans rendez-vous :
a) vous vous asseyez
b) vous restez debout
c) vous demandez un siège pour pouvoir écrire quelques notes

X/ Le client accepte de vous écouter. Vous lui expliquez votre produit puis :
a) vous lui montrez comment il fonctionne
b) vous lui proposez de le tester par lui-même
c) vous lui glissez que ses concurrents l'ont déjà acheté

XI/ Le pire est de constater que votre client :
a) fait beaucoup d'objections et de critiques
b) est indifférent
c) semble séduit mais vous dit de repasser à une date non fixée

XII/ A la fin de l'entretien, votre client refuse votre produit avec un argument :
a) vous lui répondez avec un dernier contre-argument
b) vous lui dites « je pense qu'il y a une autre raison derrière ce refus »
c) vous partez en décidant de revenir à la charge ultérieurement avec de nouveaux arguments plus convaincants

XIII/ Un bon vendeur est celui qui sait surtout :
a) parler
b) écouter
c) se taire

XIV/ Et un client qui achète est surtout une personne :
a) charmée
b) convaincue
c) séduite

Résultats du test

Chaque réponse est cotée 1 ou 2 ou 3 points. Faites le total des points obtenus et lisez le paragraphe correspondant.

	a	b	c
I	3	2	1
II	3	1	2
III	3	2	1
IV	1	2	3
V	2	3	1
VI	3	2	1
VII	1	3	2
VIII	2	3	1
IX	2	1	3
X	2	3	1
XI	1	3	2
XII	2	3	1
XIII	1	2	3
XIV	2	1	3

Entre 14 et 23 points : Des efforts à fournir !

Vous n'êtes pas vraiment un bon vendeur. Vous croyez parfois que l'adhésion de l'autre à votre idée (si bonne...) ou sa conviction par rapport à votre produit (si merveilleux..) devrait couler de source. Vous oubliez que rien n'est donné, tout doit être acquis. Vous pouvez vous sentir frustré ou humilié suite à un refus. Ce refus devrait, au contraire, vous stimuler !

Note astro : Influence de la lune (naïveté).

Entre 24 et 33 points : Presque un bon vendeur !

Vous parvenez grosso modo à réussir une vente, à charmer et convaincre votre client. Mais vous ne possédez pas (encore) toutes les armes pour gagner souvent. Vous pouvez vous énerver parfois rapidement si une vente traîne ou si on partage pas votre enthousiasme par rapport à une idée ou un projet. Mais quand vous vous mettez sérieusement en tête de réussir, vous pouvez y arriver !

Note astro : Force du Soleil (volonté) mais Faiblesse de Mars ou Saturne (manque de persévérence).

Entre 34 et 42 points : Un AS de la vente !

Vous assurez dans ce domaine ! vous possédez un bon nombre d'astuces et d'armes pour convaincre votre client de la qualité de votre idée ou de votre produit. Certes, ce n'est jamais parfait. Mais, dans l'ensemble, vous savez prendre la vente comme un défi et un jeu que vous jouez jusqu'au bout. Vous savez vous mettre dans la peau du client et transformer ses résistances en acceptations !

Note astro : Bonne influence Soleil-Jupiter-Mars.

XI. QUEL JOUEUR ETES-VOUS ?

Dans les jeux de l'esprit ou de l'argent et dans la vie en général, êtes-vous un joueur prudent ou « mordu », capable de risquer gros ? Jouez à ce test pour en savoir plus. Choisissez une seule réponse par question.

Note astro : *dans un thème, le jeu est symbolisé par la maison V, l'argent par la maison II. Certaines planètes poussent à l'économie (exemple, Saturne), d'autres à la prodigalité (Jupiter en mauvais aspect à Lune ou Mars, par exemple).*

I/ Créez un jeu :
a) le Jac O Jac : on gagne la photo de Jacques Chirac au grattage et son siège au tirage
b) la psy-loterie : on gagne un nouveau caractère et on change de personnalité
c) le super-jeu-télé : tout le monde gagne, au moins un porte-clefs
d) le gastronomico-loto : on gagne un dîner chez Maxim's par bon numéro et le resto lui-même par le complémentaire

II/ Avant de jouer :
a) vous consultez Mme Gilbert, voyante-conseil
b) vous branchez votre logiciel « Gagnez sûr »
c) vous convoquez des amis
d) vous ne faites rien du tout

III/ Et hop ! le ballon des gamins jouant dans la rue chute sur votre tête :
a) vous offrez un juron
b) vous échangez quelques coups de ballon avec eux
c) vous leur racontez vos souvenirs d'As du ballon
d) vous continuez votre chemin

IV/ Si vous étiez une riche star du Rock :
a) vous conduisez Rock and...Rolls
b) vous vous offrez une maison de campagne
c) vous faites le tour du monde
d) vous allez à Monte-Carlo

V/ Le jeu, ça sert à :
a) déjouer
b) occuper les gosses
c) donner un coup de pouce aux choses
d) s'amuser

VI/ La plus belle rencontre amoureuse a lieu :
a) dans un ascenseur
b) chez votre marieuse-conseil
c) au restaurant
d) un jour de cafard

VII/ Et à la base de cette rencontre, il y a :
a) le coup de foudre
b) le plaisir de séduire
c) la découverte de points communs
d) la nouveauté et l'aventure

VIII/ Une devise sur la loi :
a) une loi est faite pour être détournée
b) la loi doit être de bon aloi
c) ni foi ni loi
d) jeu de loi

IX/ Assurer dans la vie, c'est comme bien jouer :
a) aux Echecs
b) au Scrabble
c) au Loto
d) au Quiz de connaissances

X/ La vie est trop courte pour :
a) ronronner
b) s'ennuyer
c) tenter le diable
d) vivre sans émotions

XI/ Un proverbe :
a) qui perd gagne
b) l'audace paie
c) la vie est une série de hasards
d) la chance complète le travail

XII/ Le quadruple de votre salaire pour jouer dans un porno :
a) vous décidez en lançant une pièce de monnaie
b) vous réfléchissez longuement
c) en consultant l'entourage
d) c'est niet

XIII/ Les perdants au jeu sont :
a) des victimes
b) des malchanceux
c) des incompétents
d) des re-joueurs en puissance

XIV/ Qu'ils aillent en enfer :
a) les mafieux
b) les pique-assiettes
c) les moralistes
d) les radins

Résultats du test

Results of ...

Chaque réponse est cotée + ou * ou ○ ou △. Faites le total de chaque symbole et lisez le texte lié au symbole majoritaire.

	a	b	c	d
I	+	*	○	△
II	○	+	△	*
III	○	*	+	△
IV	+	○	*	△
V	△	○	*	+
VI	*	○	+	△
VII	△	+	○	*
VIII	+	○	△	*
IX	+	*	△	○
X	+	*	○	△
XI	△	+	*	○
XII	△	+	*	○
XIII	○	*	+	△
XIV	○	+	*	△

Majorité de △ : Scorpion

La vie pépère, non merci. Le jeu est l'occasion, voire l'arme, par laquelle un destin, votre destin, bascule pour le meilleur et le pire. Vous seriez capable de claquer une grande somme, par défi. Défi contre le sort, challenge narcissique devant les autres, utilisés comme miroir. Fascination-mépris face à l'argent, plaisir orgueilleux de gagner, joie masochiste de perdre et de vous mordre la queue. Votre philosophie ? les choses ici-bas sont relatives, elles vont et viennent. Un billet de 500 F, ça se brûle. Mais à force, vous risquez de vous consumer avec lui.

Note astro : influence du signe du scorpion ou d'un aspect Mars-Jupiter ou Lune-Jupiter.

Majorité de + : Renard

Le jeu, ça vous fascine. Mais derrière votre façade de joueur, se profile le stratège-calculateur. Un sou est fait pour rapporter le centuple. Dans le cas contraire, vous redéfinissez votre stratégie, vous modifiez vos astuces jusqu'à trouver la faille et atteindre votre but. Pour les jeux de l'esprit, c'est le plaisir du pouvoir qui prend le relais. Pouvoir d'écraser l'adversaire, de lui signifier votre supériorité mentale. Manipulateur dans l'ombre ou au grand jour, vous jouez pour gagner. Le jeu pour le jeu, ça vous laisse froid.

Note astro : influence de Saturne et de Mercure.

Majorité de * : Singe

Un enfant cohabite avec votre personnalité d'adulte. De nature essentiellement ludique, vous jouez par et pour le plaisir. Vous gagnez ? tant mieux. Vous perdez ? quelle importance, vous vous serez amusé quand-même. Plusieurs aspects de votre vie sont vécus sous le signe du jeu. A l'affût de sensations multiples, vous vivez l'instant présent. Votre devise : rien n'est certain, profitons de ce qui se présente. Pour l'avenir, on verra. Pas de rancune contre le sort ou les autres si vous perdez. Vous avez l'art de tout « positiver ».

Note astro : influence de Vénus-Mercure.

Majorité de ○ : Ecureuil

Rien ne vaut le confort de vos charentaises... et de vos certitudes. Quelque part, le jeu est immoral. C'est le travail qui fait l'homme. Certes, se détendre avec des jeux de cartes ou de société avec les amis, ça fait du bien. A condition de le faire pendant les moments officiellement destinés aux loisirs. Un billet de Loto de temps en temps et discrètement, pourquoi pas. Mais au fond, vous méprisez les jeux d'argent et leurs bénéficiaires. Plus à l'aise avec le livret A qu'avec les aléas de la Bourse, vous optez pour la ligne de moindre résistance. Oui à l'argent mérité, non au profit et au hasard injuste.

Note astro : influence des signes de terre et de Saturne.

Imprimé à Mayenne
chez Jouve

Mars 1992